C0-AUH-977

MISSALE BENEVENTANUM

TEXTUS PATRISTICI ET LITURGICI

quos edidit Institutum Liturgicum Ratisbonense

Fasc. 9

SIEGHILD REHLE

MISSALE BENEVENTANUM

von Canosa

(Baltimore, Walters Art Gallery, MS W6)

mit einem Vorwort von
KLAUS GAMBER

KOMMISSIONSVERLAG
FRIEDRICH PUSTET REGENSBURG

Mit kirchlicher Druckerlaubnis

Gedruckt mit Unterstützung der
Deutschen Forschungsgemeinschaft
und des Bischöflichen Stuhles von Regensburg

Gesamtherstellung Friedrich Pustet
Printed in Germany
ISBN 3-7917-0342-0

Dem verdienten Sakramentarforscher
DR. P. LEO EIZENHÖFER OSB
in Verehrung gewidmet

Vorwort
von Klaus Gamber

Die ältesten erhaltenen beneventanischen Liturgiebücher stammen erst aus der Wende vom 10. zum 11. Jh. Abgesehen vom (große Lücken aufweisenden) Missale VI, 33 des Erzbischöflichen Archivs von Benevent (CLLA Nr. 430) sind diese nur in Fragmenten auf uns gekommen. Die älteste vollständige Handschrift gelangt hier nun zur Edition. Sie verdient freilich nicht mehr das Interesse, das den Fragmenten in Zürich, Peterlingen und Luzern entgegenzubringen ist, die aus einem Meßbuch stammen, das um das Jahr 1000 in der Gegend von Bari geschrieben wurde (CLLA Nr. 431).

Die meisten Formulare zeigen dort noch drei Lesungen (eine aus dem Alten Testament, eine aus dem »Apostel« und eine aus den Vier Evangelien). Das Graduale kommt nach der 1. Lesung, das Alleluja nach der 2. Lesung zu stehen. Im oben genannten Missale VI, 33 ist diese Ordnung nur noch in den Sonntagsmessen nach Pfingsten zu finden. Das gleiche gilt für eine »Oratio post evangelium«, die uns ähnlich auch in einem mittelitalienischen Plenarmissale (CLLA Nr. 1413) begegnet. Die Fragmente von Zürich, Peterlingen und Luzern weisen weiterhin fast in jedem Formular eine eigene Präfation auf, die den altertümlichen Titel »prex« (zu ergänzen ist vermutlich »oblationis«) trägt, ferner eine »Super populum«-Formel, die im Gregorianum nur mehr an den Werktagen der Fastenzeit erscheint.

Leider sind im hier zur Edition gelangten »Missale Beneventanum« aus dem Ende des 11. Jh. nicht mehr alle genannten Eigentümlichkeiten zu finden. Dennoch ist dieses Meßbuch für die Geschichte der beneventanischen Liturgie von besonderer Bedeutung, weil sich in ihm, trotz der Anpassung an die damaligen italienischen Plenarmissalien, noch zahlreiche alte Stücke, vor allem Präfationen, aber auch Orationen, die sonst nicht mehr zu belegen sind, erhalten konnten. Interessant ist auch der Aufbau der Handschrift, die im 1. Teil die Votivmessen, dann den Canon Missae und erst im 2. Teil Formulare für die Feste zeigt. Sonntagsmessen fehlen fast ganz. Der Redaktor scheint als Vorlage für den 2. Teil ein Jahres-Missale gehabt zu haben, aus dem er seine Formulare auswählte.

Auf die Bedeutung der älteren beneventanischen Liturgiedokumente für die Sakramentargeschichte wurde in einer eigenen Studie hingewiesen, besonders im Hinblick auf die kampanische Liturgie des 5. Jh. und das Sakramentar, das nach dem Zeugnis des Gennadius der hl. Paulinus von Nola (†431) verfaßt hat. Die Studie trägt den Titel »Das kampanische Meßbuch als Vorläufer des Gelasianum. Ist der hl. Paulinus von Nola der Verfasser?«, erschienen in: Sacris erudiri 12 (1961) 5–111.

Neben den beneventanischen Liturgiebüchern sind in dieser Hinsicht, vor allem auch wegen ihres Alters (8. bzw. 8./9. Jh.) die angelsächsischen Sakramentar-Fragmente von Bedeutung. Diese gehen nämlich direkt auf ein kampanisches Meßbuch zurück, das von Hadrian, dem vormaligen Abt des Inselklosters Nisida bei Neapel und Begleiter des i. J. 668 zum Erzbischof von Canterbury ernannten Theodor, nach England gebracht worden ist. Darauf sowie auf Beziehungen zu den beneventanischen Liturgiedokumenten wurde von mir in zwei Aufsätzen eingegangen: »Das altkampanische Sakramentar. Neue Fragmente in angelsächsischer Überlieferung«, in: Revue bénédictine 79 (1969) 329–342 und »Das Basler Fragment. Eine weitere Studie zum altkampanischen Sakramentar und zu dessen Präfationen«, ebd. 81 (1971) 14–29.

Besondere Beachtung verdient der Canon-Text in unserem Meßbuch. Wir finden hier sowohl die für die beneventanischen Liturgiebücher typischen Varianten, auf die bereits A. Dold und V. Fiala in ihren Arbeiten hingewiesen haben, als auch sonst nicht belegte Unterschiede und Texte. Leider ist der ursprüngliche Wortlaut an zahlreichen Stellen zugunsten der bekannten späteren Fassung ausradiert. Es war nicht möglich, die Erstschrift am Original zu entziffern, da dazu eine Reise in die USA notwendig gewesen wäre.

Wir können heute die Entwicklung des beneventanischen Canon-Textes wegen des Fehlens von Handschriften vor dem 10./11. Jh. im einzelnen nicht mehr verfolgen. Seine ursprüngliche Fassung, vor allem was den Einsetzungsbericht betrifft, scheint jedoch von der im Sacramentarium Gregorianum verschieden gewesen zu sein. Auch mit der vorgregorianischen Rezension dürfte er nichts zu tun haben. So finden wir noch ein »Accipite et comedite«, ähnlich wie in De sacr. IV, 21 (Accipite et edite); im Kelchwort fehlt »et aeterni« von 1. Hand.

Der beneventanische Wortlaut des Canon bedarf einer eigenen Untersuchung, die alle erhaltenen Meßbücher aus Süditalien (und Dalmatien) berücksichtigen müßte, wobei Reste der Urfassung von späteren Zusätzen (Privatgebeten des Priesters) unterschieden werden sollten.

Einleitung

Unser Codex wird heute in Baltimore, Maryland, in der Walters Art Gallery unter der Signatur MS W6 aufbewahrt. Dorthin gelangte er um 1917 durch den bekannten Kunstsammler Henry Walters, der ihn bei einem Pariser Buchhändler erstanden hatte. Damals war das Buch schon in seinem grünen Samteinband und trug eine Aufschrift der vorhergehenden Besitzer: Gruel and Engelmann, Coll. n. 75[1]. Die Handschriftensammlung der Familie Walters gehört zu den größten Privatsammlungen ihrer Art in den USA.

Das MS W6 besteht aus 232 Pergament-Blättern. Sein Format ist ziemlich klein, ein Blatt mißt 19:12 cm (7½:4¾ in)[2]. Der Inhalt ist ein Meßbuch mit Orationen, Gesängen und Lesungen für das Kirchenjahr ohne die Sonntagsmessen. Den Anfang bilden Votiv-Messen mit dem Ordo missae, den Schluß Commune-Messen. Es handelt sich um ein Plenarmissale. Dem Meßbuch geht ein Kalendarium voraus, das zuerst unsere Aufmerksamkeit auf sich lenkt.

Das Kalendarium. – Drei Doppel-Blätter, ein Einzelblatt und die linke Hälfte des nächsten Doppel-Blattes beinhalten das Kalendarium. Es räumt nicht jedem Monat eine Seite ein, sondern ist fortlaufend geschrieben. Vor jedem Monat steht die Anzahl der Tage und Nächte, dann werden die Stunden 1 bis 11 aufgezählt, wie sie an einer Sonnenuhr abzulesen sind[3]. Die ›pedes‹ geben die Schattenlänge an. Eine Übersicht soll unsere Zahlen veranschaulichen:

[1] Zu dieser Angabe vgl. *Faye – Bond*, Supplement to the Census of Medieval and Renaissance Manuscripts, Nr. 112, S. 228ff.; der »Census« selbst ist herausgegeben von *S. de Ricci* und *W. J. Wilson*, wo die Handschrift ebenfalls unter Nr. 112 beschrieben wird. Im Walters Catalog ist sie unter der Nr. 13, Abb. XII, zu finden.

[2] Angabe der *inches* am Vorsatzblatt des Codex; die *cm*-Angabe siehe bei *Faye – Bond*, S. 228.

[3] Erklärung und Darstellungen dazu gibt *Grotefend*, Zeitrechnung des deutschen Mittelalters und der Neuzeit.

hor.	ped.						
1							
2							
3							
4							
5							
6	11	13	15	17	19	29	Januar
7	9	11	13	15	17	27	Februar
8	7	9	11	13	15	25	März
9	5	7	9	11	13	23	April
10	3	5	7	9	11	21	Mai
11	1	3	5	7	9	19	Juni
	1	3	5	7	18	19	Juli
	3	5	7	9	19	23	August
	4	5	8	11	14	23	September
	5	6	11	12	15	25	Oktober
	6	7	10	12	16	26	November
	7	8	11	14	17	27	Dezember

Es wären zu verbinden für Januar die Zahlen 1 und 11 mit 29, 2 und 10 mit 19, 3 und 9 mit 17, 4 und 8 mit 15, 5 und 7 mit 13, schließlich 6 mit 11. Dies gilt analog auch für die übrigen Monate, wobei die Reihe der ›horae‹ um eine Stufe nach unten zu versetzen ist[4].

Das 1. Halbjahr zeigt keine Unregelmäßigkeiten, während in der zweiten Jahreshälfte einige Unstimmigkeiten auftreten. Bei der völlig aus der Reihe fallenden 18 im Juli haben wir es sicher mit einem Fehler zu tun, vermutlich sind die 19 im August, die 11 oder 12 im Oktober und die 12 im November u.a. auch falsch.

Auf die astronomischen Angaben folgen Bezeichnungen des Monats in anderen Sprachen: bei den Hebräern, Ägyptern, Griechen, Angeln, Sachsen, Lateinern. Dies zeigt von einer Weltoffenheit zur Zeit der Zusammenstellung des Kalendariums. Bei unserer Abschrift sind die Namen jedoch schon oft verballhornt, es unterliefen mehrere Fehler oder Verwechslungen. So stehen

[4] Diese Angaben erhielt ich in einem Brief von *Dr. L. Eizenhöfer* vom 1. Feb. 1971.

von Juni bis Oktober unter: *apud grecos* die ägyptischen Namen und umgekehrt.

Jeder Monat wird durch einen Hexameter eingeleitet[5]. An erster Stelle stehen untereinander die Buchstaben *a* bis *g* für die sieben Wochentage mit dem römischen Datum daneben. Es folgen die Festbezeichnungen. Diese werden gelegentlich von kosmischen und chronologischen Angaben ergänzt. Wir erfahren Einzelheiten über die Kalenderberechnungen bei den Griechen, Römern oder Spaniern.

Vermerke wie: *Prima incensio lune paschalis* am 8. März und *ultima incensio lune* am 27. März, oder *egressio noe de arca* am 27. April und *Inuentio capitis precursoris dni* am 25. Februar, oder *Primus dies seculi* am 18. März und *Initium predicationis dni in africa gerapolim* am 1. Mai erscheinen besonders altertümlich. Um sie besser ins Auge fallen zu lassen, setzen wir derartige Angaben kursiv.

Die *dies egiptiaca*, bei uns am 1. und 26. Januar, 3. März, 10. und 21. April, 9. Juni, 5. und 22. Juli, 7. und 22. August, 22. September, 9. und 22. Oktober, 5. und 28. November und am 12. Dezember, ist nach alter Meinung ein Unglückstag. Er kommt in zahlreichen Kalendarien vor, und ist zweimal pro Monat anzusetzen. Hier fehlt er mehrmals. Die 12 Hexameter auf fol. 231, die wir im Anschluß an das Kalendar bringen, sind eine Aufzählung dieser Tage[6].

Unser Kalendarium gleicht denen aus Monte Cassino, die E. A. Loew in seinem Buch: »Die ältesten Kalendarien aus Monte Cassino« veröffentlicht hat. Im Kalendarium aus der Bibliotheca Casanatense finden wir eine Aufzählung der Monatsnamen in drei Sprachen: auf hebräisch, ägyptisch und griechisch. Dieselben

[5] Vgl. *Hennig*, Versus de mensibus.

[6] Im Cod. Zürich, Zentralbibliothek C 101/467 findet sich folgende Notiz:

Nota dies aegyptiaci

Nota quod in diebus subscriptis qui primo lectum decubuerit, non uiuet. Qui nascitur, non erit uitalis. Qui nuptias fecerit, diuorciatur uel alio modo quocumque separatur. Et qui domum uel alias structuras fecerit, per incendium uel alias destructio continget; bei *Werner*, Die ältesten Hymnensammlungen von Rheinau, S. 82 (VIII); zu den Hexametern vgl. auch *Thorndike – Kibre*, A catalogue of incipits of medieval scientific writings in latin.

Hexameter leiten die Monate ein[7]. Nach der Aufzählung der Stunden von Tag und Nacht folgt eine Darstellung der *hor.* und *ped.* auf der Sonnenuhr wie bei uns. Nur die Zahlen im einzelnen differieren: So stehen dort z.B. für Januar die pedes: 7 8 11 18 17 27 (bei uns: 11 13 15 17 19 29). Die Feste sind an vielen Tagen dieselben; unser etwas jüngerer Codex weist freilich mehr Eintragungen auf.

Nun seien die Abkürzungen erklärt. Die Monatsüberschriften sind bis auf einen Fall, wo es *aprilis* heißt, abgekürzt; zweimal heißt es *mense*, so ergänzten wir die Überschriften in der Edition entsprechend. *Lun.* ist nie ausgeschrieben, es muß *lune* heißen, *ped.* heißt *pedes*, *hor.* ist nur im Juli *horarum* ausgeschrieben, wir belassen es wie im Manuskript.

Sancti-sancte-sanctorum ist nur *s* oder *sci-sce-scorum* abgekürzt, wir einigen uns auf letzteres. *Confessoris* finden wir: *conf.*, *conff.* oder *confess.*; *uirginis*: *uir.* oder *uirg.*; *martiris-martirum* immer *mar.*, was wir jeweils belassen. *Natale* ist *nat.* abgekürzt; *abb.* = *abbatis*, *epi.* = *episcopi*, *mon.* = *monachi*, *pp.* = *pape*, *pri.* = *presbiteri* schreiben wir stets aus.

Das abgekürzte *can* in *dedicatio sce marie can.* am 17. Juli bedeutet sicher *canosine*, ein Hinweis auf die Weihe einer Marienkirche in Canosa. Die *Inuentio sci michahelis in monte garno* am 8. Mai meint den Monte Gargano.

Das Missale. – Es beginnt auf Blatt 10r nach dem Kalendarium und einem beigebundenen Blatt (fol. 1r/v), das Oration, Sekret und Postkommunio einer ›Missa Communis‹ enthält. Es wurde bereits von K. Gamber ediert: »Eine Missa Communis auf einem fliegenden Blatt«.

Auf fol. 10r, das mit dem letzten Blatt des Kalendariums zusammenhängt, haben wir das Evangelium nach Matthäus (10, 1–15) mit der fast seitengroßen, reich verzierten Initiale *I* vor uns. Bemerkenswert ist, daß es irrtümlich heißt: *sequentia sci euangelii secundum iohannem.* Die Formularüberschrift »Missa in honore

[7] Dazu siehe *Loew*, Die ältesten Kalendarien aus Monte Cassino, S. 36ff.; vgl. auch *Giovene*, Kalendaria vetera manuscripta aliaque monumenta ecclesiarum Apuliae et Iapygiae; ferner siehe *Walter*, Carmina medii aevi posterioris latina I.

omnium apostolorum« mußten wir ergänzen. Das Evangelium geht auf der Verso-Seite weiter, gefolgt von Offertorium, Sekret, Communio und Postcommunio dieser Messe. Am unteren Rand von 10r steht dazwischen auf Rasur die zugehörige Oration. Ganz unten an der Blattkante lesen wir in etwas schlechterer Schrift: *epistola require in apostolorum*. Den Introitus zu dieser Messe entdecken wir nach dem Kalendarium, unten auf fol. 9v. Es handelt sich um einen Nachtrag, der eine Lücke ausmerzen sollte. Der Schreiber ist aber wohl immer derselbe gewesen[8].

Nach diesen Unregelmäßigkeiten folgt auf fol. 11r die Überschrift: »Missa quam sacerdos pro se ipso debet canere.« Damit fängt das eigentliche Meßbuch an. Von jetzt ab sind auf einer Seite nur noch 17 Zeilen, während es auf fol. 10 und im Kalendar 28 bis 29 Zeilen waren. Die Schrift ist hier entsprechend größer. Bei einem Vergleich der Schriftzüge und Buchstabenformen können wir kaum Unterschiede feststellen. Vergleichen wir jedoch die Initialen, müssen wir die Stücke als das Werk verschiedener Schreiber erkennen.

Die Initialen im Kalendarium sind einfach, dünn und mit Knoten und Querstrichen verziert, die auf Blatt 10 – außer dem ornamentalen *I* des Evangeliums – doppelt, gewunden, mit Ausbuchtungen verziert und nicht ausgemalt. Von fol. 11 ab sind die Initialen den letzteren ähnlich, jedoch bunt ausgemalt. Wir bezeichnen die Hand, die den Hauptteil unseres Missale geschrieben hat mit A, den Schreiber des Kalendars mit B, den der Seite 10 mit C.

Von fol. 11r bis fol. 223v ist das Missale hauptsächlich von derselben Hand A geschrieben. Die Lagen erweisen sich als vollständig von fol. 11–18 (8), 19–26 (8), 27–34 (8), 35–42 (8), 43–50 (8), 51–58 (8), 59–66 (8), 67–74 (8), 75–84 (10), 85–92 (8), 93–100 (8), 101–108 (8), 109–116 (8), 117–126 (8+2), 127–132 (6), 133–140 (8), 141–148 (8), 149–156 (8), 157–165 (8+1), 166–173 (6+2), 174–183 (10), 184–190 (?), 191–198 (8), 199–206 (8), 207–214 (8), 215–222 (1+7). Von hier ab sind kaum mehr zusammenhängende Lagen zu unterscheiden. Falzstreifen, die nur

[8] An der schlechteren Schrift am untersten Blattrand von fol. 10 r ist vermutlich nicht ein anderer Schreiber, sondern die ungünstige Schreibmöglichkeit am Rand des Buches schuld.

buchbinderische Bedeutung haben und keine Lücken im Text verursachen, befinden sich zwischen fol. 61/62 und 64/65, zwischen fol. 78/79 und 81/82, zwischen fol. 94/95 und 97/98, und zwischen 215/216 und 217/218[9].

Auf fol. 74v beginnt gegen Ende der »Missa communis« mit *Quod ore sumpsimus* eine andere Hand, die sich durch eine dünnere Feder und kantigere Buchstaben von der vorhergehenden unterscheidet. Sie endet fol. 76v. Diese Hand (A¹) scheint in der Hauptsache auch die Korrekturen im Text vorgenommen zu haben, besonders was den Ordo missae betrifft.

In der »Missa in sce Trinitatis« unterbricht auf fol. 170r eine andere Hand (A²) die *Oratio post communionem*. Es folgt die Vigil des hl. Laurentius. Bei fol. 170/171 handelt es sich um ein eingeklebtes Doppelblatt. Sicher wurde hier eine Lücke ergänzt. Mit dem Laurentius-Fest fährt wieder die Hand A fort.

Fol. 224r zeigt eine andere Hand mit schlechter Schrift. Die Initialen gleichen den vorhergehenden der Form nach, sind jedoch dunkel ausgemalt. Derselbe Schreiber (D) kommt auf fol. 226v nochmals vor, nachdem wieder ein Blatt des Schreibers A gefolgt ist. Bei diesen Abschnitten handelt es sich jedesmal um ein eigenständiges Formular.

Einem neuen Schreiber, E, mit sehr gleichmäßiger, ausgeglichener Hand begegnen wir fol. 226v unten. Die Initialen sind – außer bei den Gesängen – ganz ausgefüllt und zusätzlich mit Knoten verziert. Auf fol. 230r unten kommt eine »Missa communis« in kleinerer Schrift mit 22 Zeilen pro Seite. Ihren Schreiber nennen wir E¹. Was sich auf dem letzten Blatt (fol. 232r/v) befindet, sind seltene Orationen in schlechter Schrift von einer weiteren Hand (F).

Zwischen fol. 214 und 216 wurde ein Blatt in karolingischer Minuskel eingeklebt, das die durchlaufende Seitenzahl 215 trägt. Es ist oben und unten beschnitten und hat zum Missale keine Beziehung. Wir ersehen, daß die jetzige Numerierung zu einem ziemlich späten Zeitpunkt erfolgt sein muß, die den Meßbuchinhalt nicht berücksichtigte. Dies zeigt auch das eingeheftete Blatt 231 mit den Hexametern, das wir in der Edition im Anschluß an

[9] Diese Angaben erhielt ich in einem Brief von *D. Miner* vom 27. 4. 71.

das Kalendar bringen, zu dem es auch der Schrift nach gehört. Dessen Schreiber bezeichnen wir mit B1.

Die Schrift. – Unser Missale ist in Langzeilen geschrieben. Für den gewöhnlichen Text wurde schwarze, für die Rubriken rote Tinte verwendet. Die Gesänge sind wesentlich kleiner als der übrige Text und größtenteils neumiert. Mit den 229 zusammengehörenden Blättern umfaßt das Buch an die 28 Lagen.

Die Schrift ist die typisch beneventanische Minuskel, wie sie im beneventanischen Bereich, also in Süditalien und Dalmatien, nach der Jahrtausendwende gepflegt wurde. Was über diese eigenständige Schrift im einzelnen zu sagen ist, hat E. A. Loew in seinem Werk: »The Beneventan Script, A History of the South-Italian Minuscule« ausführlich dargelegt[10]. Der Zeitpunkt der Niederschrift unseres Codex liegt in der 2. Hälfte des 11. Jh.

In der Handschrift finden sich zwei Miniaturen: das seitengroße Christusmedaillon des *Uere dignum* der Prephatio Communis und das reich ornamental sowie mit Tiermotiven und dem Lamm Gottes ausgestattete *Te igitur* des Canon (fol. 67 und 68)[11]. Die Initialen der Orationen und Gesänge sind gelb, blau und grün ausgemalt[12], reichen aber nur über die Höhe von zwei oder drei Zeilen hinweg, wobei eine Zeile 1 cm mißt. Die Initialen der Lektionen und in besonderem Maße der Evangelien sind hingegen mindestens eine halbe Seite hoch und haben sehr reichen, bunten Ornamentalschmuck im Flechtwerktyp, häufig mit Tier- und Vogelmotiven ergänzt.

Lokalisierung. – Nun müssen wir uns die Frage stellen, wo unsere Handschrift geschrieben sein könnte.

Für die beneventanische Schrift kommt Süditalien, eventuell auch das Einflußgebiet dieser Schrift jenseits der Adria in Frage. Die süditalienischen Liturgiebücher sind meist in zwei Kolumnen geschrieben, während in Dalmatien Langzeilen überwiegen. An sich wäre es deshalb naheliegend, an Dalmatien als Heimat der

[10] Vgl. auch *Loew*, Scriptura Beneventana.
[11] Abbildung der Te igitur – Seite bei *Diringer*, Abb. VI–4.
[12] Siehe *Miner*, 2000 Years of Calligraphy, S. 35 ff., Abb. von fol. 17r.

Handschrift zu denken[13]. Für die Lokalisierung des Codex müssen wir uns aber in erster Linie an das beigebundene Kalendarium halten.

Die Heiligenfeste geben uns viele Hinweise[14]. Außer dem Martyrer *Modestinus* aus Benevent, den unser Kalendar am 19. Januar ansetzt, dem beneventanischen Bischof *Januarius* (18. September) und dem dortigen Bischof *Tamarus* (15. Oktober), ist die Erwähnung des Bischofs *Barbatus* von Benevent bedeutungsvoll. Seine »Depositio« am 19. Februar feiert man dort noch heute. Außerdem wird für ihn im Kalendar eine »Dedicatio (ecclesie)« am 17. Dezember angegeben. Eine solche kommt in der Ausgabe von E. A. Loew der Kalendarien aus Monte Cassino unter ›Casanatensis Additiones‹ am 14. Juli vor. Unsere Angabe scheint sich auf eine bestimmte Lokalkirche zu beziehen.

Die Heimat des Codex dürfte nicht direkt Benevent sein, sondern die Diözese Canosa in Apulien beim Monte Gargano mit dem Heiligtum des Erzengels Michael[15]. Bereits der Kommentator in der »Paléographie Musicale« Bd. XV meint, daß dieses Meßbuch entweder für die Kirche von Canosa oder das Michaelsheiligtum am Monte Gargano bestimmt war[16]. Im »Dictionnaire d'histoire et de géographie ecclesiastiques« heißt es unter dem Stichwort Canosa, die Diözese sei vom 9. Jh. an von einem starken byzantinischen Einfluß beherrscht gewesen[17]. So können wir uns das Vorkommen zahlreicher Heiliger aus dem östlichen Nachbarland und der byzantinischen Kirche im Kalendar erklären, wie z. B. die Feier der »Depositio sci constantini imperatoris« am

[13] *K. Gamber* spricht die Vermutung aus, daß die Handschrift in Dalmatien entstanden sein könnte; siehe CLLA Nr. 445.

[14] Wir geben ein Verzeichnis der Heiligen am Schluß der Edition. Für die Heimat der Heiligen berufen wir uns auf *Doyé*, Heilige und Selige der röm. kath. Kirche; hierzu vgl. auch das Verzeichnis der Heiligen mit ihrer Heimat bei *Loew*, Die ältesten Kalendarien aus Monte Cassino, S. 60ff.; siehe auch das Martyrologium Hieronymianum von *Rossi – Duchesne*, sowie die Bibliotheca Hagiographia Latina (abgekürzt: BHL), auf die wir in unserem Index der Heiligen an bezeichnenden Stellen verweisen.

[15] Für die Diözese Canosa vgl. *Jacobone*, Richerche sulla storia e la topografia di Canosa antica.

[16] Vgl. Paléographie Musicale Bd. XV, S. 76 Nr. 109 und S. 176.

[17] In: Dictionnaire d'histoire et de géographie ecclesiastiques, siehe unter dem Stichwort Canosa: *Janin*.

22. Mai, oder die »Depositio beati iohannis constantinopolitani episcopi« am 13. November. Direkt nach Canosa führt die »Dedicatio sce marie can(osine)« am 17. Juli, sowie das Fest des Bischofs dieser Stadt *Sabinus* am 9. Februar. Wir nennen unseren Codex deshalb »Missale Beneventanum von Canosa«.

Das Meßbuch ist außerdem wahrscheinlich in einer Klosterkirche verwendet worden. Dafür sprechen die Feste: *patris nostri effrem* am 9. Juli und *patris nostri arsenii* am 19. Juli. Das Vorkommen einer Vigil zum Fest des hl. Benedikt am 21. Mai weist näherhin auf ein Benediktinerkloster. Dafür sprechen auch das Fest des irischen Abtes *Furseus* am 16. Januar und das Fest des Bischof *Severus*, eines Benediktinermönches aus Monte Cassino am 20. Juli. Unser Meßbuch war daher allem Anschein nach für ein Benediktinerkloster bestimmt. Hinweise dafür finden sich freilich nur im Kalendar. So fehlt im Missale selbst die Vigil zum Fest des hl. Benedikt. Das Formular am Tag ist allerdings vollständig und hat nicht nur die drei Orationen wie die unmittelbar vorhergehenden Messen.

Unserem Codex dem Typus nach verwandt ist ein Plenarmissale in Zagreb: Metropolitanska Knjižnica, Cod. M.R. 166 (CLLA Nr. 446). Es stammt aus dem Ende des 11. Jh. und ist ebenfalls in Süditalien oder Dalmatien geschrieben. Hier kommen zuerst das Commune Sanctorum und eine Reihe von Votivmessen. In der Mitte des Buches hat der Ordo Missae, der von der Handschrift bis jetzt allein ediert ist, seinen Platz[18]. Auf ihn folgen nochmals Votiv- und Totenmessen. Von jüngerer Hand wurden Ende des 12. Jh. Meßformulare für die Festtage angefügt[19].

Einen anderen Typus stellt hingegen der Codex VI, 33 (= B) der erzbischöflichen Bibliothek zu Benevent dar[20]. Dieses Meßbuch ist um einige Jahrzehnte älter als das unsere. Schon rein äußerlich unterscheidet es sich durch das größere Format und die zweispaltige Seiteneinteilung. Das Missale von Benevent ist ein vollständiges Meßbuch, während unsere Handschrift nur die

[18] Siehe *Kniewald*, Ordo et Canon Missae et Missale S. Sabinae MR 166 saec. XI.

[19] Siehe *Novak*, Scriptura Beneventana.

[20] Edition von *Rehle*, Missale Beneventanum.

Votiv- und Commune-Messen, sowie einen Teil der Festtagsmessen enthält.

Der Canon in unserem Missale stimmt in mehreren Stücken mit dem im Codex VI, 33 überein. Weitgehend entspricht der Text jedoch dem aus Monte Cassino stammenden Cod.Vat.lat. 6082, der von V. Fiala herausgegeben wurde[21].

Mit dem Codex von Benevent wiederum nahe verwandt sind größere Fragmente eines solchen in Monte Cassino, von A. Dold ediert: »Umfangreiche Reste zweier Plenarmissalien des 11. und 12. Jh. aus Monte Cassino« (vgl. dazu auch CLLA Nr. 440). Weitere beneventanische Handschriften nennt CLLA unter den Nummern 431 bis 459. Ein Verzeichnis beneventanischer Handschriften, die Kalendarien enthalten, gibt E.A. Loew in: »Die ältesten Kalendarien aus Monte Cassino« auf Seite 83.

Editionsgrundsätze. – In der Edition unseres Plenarmissale sind wir um eine vollständige Wiedergabe des Textes bemüht. Wir schreiben die Überschriften aus und ergänzen sie, falls nötig. Abgekürzt werden nur die gängigsten Kürzungen, wie die nomina sacra: *ds* = *deus*, *dns* = *dominus*, *ihs xps* = *Iesus Christus*, *sps scs* = *spiritus sanctus*, sowie *nr* (= noster), *qs* (= quesumus) und *omips* (= omnipotens). Zu beachten ist, daß es in den Schlußpartien des Buches (fol. 230) *oips* heißt.

Ergänzungen zu unserem Text setzen wir in runde Klammern. Wenn nur Initium angegeben ist, vervollständigen wir meist. Auf die Klammern verzichten wir, wenn es sich um wiederholte Auslassungen handelt, bei denen keine Zweifel auftreten können, was hier zu stehen hat. So z.B. die Überschrift *Introitus*, die im Missale nur ein paar mal zu finden ist, oder *Oratio*, das oft nicht eigens dasteht. Die Handschrift hat einmal *Secreta Oratio*, einmal *Oratio secreta*. Wir einigen uns auf letzteres. Die Formulare numerierten wir mit römischen Zahlen durch, die Formeln mit arabischen.

Alle Überschriften schreiben wir aus, um ein klares Schriftbild zu erzielen, wenngleich sie die Handschrift wie folgt abkürzt:

[21] Zu *Fiala*, Der Ordo missae im Vollmissale des Cod. Vat. lat. 6082 aus dem Ende des 11. Jh., siehe Fußnoten in der Edition.

Intr., *Or.*, *Ali.*, *Lec eple bea pau apli ad rom.*, *Gr.*, *All.*, ℣., *Trac.*, *Seq sci eug sec iohem.*, *Of(f).*, *Or. sec.* (oder *Sec. Or.*), *Preph.*, *Co(m).*, *Or. p*[s] *co(m).*, *Or. com.*

Die sonstigen Abkürzungen sind die allgemein bekannten. Erwähnt sei, daß ein *t* mit Strich darüber sowohl *ter* als auch *runt* heißen kann. Oft sind bis zu drei Striche über einem abgekürzten Wort, wie bei *momt* = *momenta* (fol. 24r). *Illorum et illarum* ist meist *ill* & *ill* mit Querbalken und darauffolgendem Punkt abgekürzt.

Was die Schreibweise betrifft, so kommt häufig *b* statt *v* vor und umgekehrt. Am 13. Februar ist das Fest des *sci balentini epi*, am 26. Mai das des *uede presbiteri*. Meist heißt es *uerbum*, seltener *ueruum* (siehe Nr. 492), in der Formel Nr. 509 steht *iuuilatio*, in Nr. 511 *iubilatio*. Bei Nr. 564 haben wir *bis* statt *uis*, Nr. 226 *nabis*, Nr. 227 *superuorum*, Nr. 430 *uethania*. Wir könnten diese Beispiele noch lange fortsetzen. Je nachdem ob *sed* ausgeschrieben wurde oder mit dem &-Zeichen steht, setzen wir vorbildgetreu *sed* oder *set*. *Uncxit* finden wir immer mit *cx*, *sollempnitas* konsequent mit *mp* geschrieben.

Das *s* am Schluß eines Wortes ist häufig hochgestellt, so auch bei der Abkürzung *post* = *p*[s]. Bei einem hochgestellten *s* handelt es sich durchweg um eine Schreibeigenart, nicht um eine spätere Korrektur. Was wir als darübergebesserte Korrektur, meist sekundärer Art, erkannten, setzten wir in eckige Klammern: [ ]. Neben den Initialen kann man die Großbuchstaben im Text deutlich unterscheiden, weil sie meist übermalt sind.

Bei den Evangelien drucken wir nach dem: *In illo tempore* das *dixit ihs discipulis suis* usw. nicht ab, weil dies auch in der Handschrift selbst, wenn diese kürzt oder einen Hinweis auf eine Lesestelle gibt, so üblich ist. Der Bibeltext wurde nur bei Centostellen oder nicht unwesentlichen Abweichungen von der Vulgata ausgeschrieben. Apostrophe und Sedile lassen wir aus drucktechnischen Gründen in dieser Ausgabe weg.

Wir vergleichen die Orationen unseres Missale mit einigen anderen Codices. In erster Linie mit L, V und Gr bzw. H, dem Leonianum, dem Codex Vaticanus und dem Gregorianum. Ist die Formel in keinem dieser drei Meßbücher vorhanden, machen wir einen Strich und suchen weiter, entweder in S, dem Sacramentarium Sangallense (und dessen Anhang = SB), in M, dem Sakramentar aus Monza, in T, dem Sacramentarium Triplex, in U, dem Sakramentar von Vich, in AmB oder E, den ambrosianischen Sakramentaren aus Bergamo und des Ariberto, und in dem formelreichsten Sacramentarium Fuldense: F. Den Ordo missae vergleichen wir mit dem im Cod.Vat.lat. 6082, ediert von V. Fiala. Auch die Zürcher und Peterlinger Meßbuchfragmente ZPL (ed. Dold) zogen wir gelegentlich zum Vergleich heran[22].

Der Beneventanische Codex VI, 33 (= B) bietet Vergleichsmöglichkeiten ab dem Proprium de Tempore, wo er »In Uigilia Natalis Domini« defekt beginnt. Nach dem »Officium in Sabbato Sancto« kommt die Prephatio Communis und der Canon. Dann geht wieder das Kirchenjahr weiter bis zum »Dominica III post sci Martini«. Es folgen einige Commune Messen. Im Proprium de Tempore stimmt das Missale von Canosa weitgehend mit diesem Codex überein, besonders was die Heiligenfeste betrifft. In der Fastenzeit ist unser Meßbuch jedoch stark gekürzt, während VI, 33 für die Karwoche einen sehr ausführlichen Gottesdienst bietet. Die Textfassung von Prephatio communis und Canon ist in beiden Meßbüchern auffallend gleich. Leider fehlen in VI, 33 die Votiv- und Commune-Messen fast ganz.

Wo VI, 33 eine Lücke hat, schreiben wir *lac.*, wo er eine andere Formel aufweist, machen wir einen Strich. Bei Übereinstimmung geben wir die Nummer der Edition in Sacris erudiri an[23]. Bei der »Inuentio sce atque uiuifice crucis« ist sogar die falsche Perikopenangabe gleich. Es heißt *Cor.* statt *Col.* Dies beweist, daß VI, 33 und MS W6 letztenendes auf eine gemeinsame Vorlage zurückzuführen sind.

Unsere Lesestellen vergleichen wir mit dem Comes Parisinus = CoP, außerdem für das Kirchenjahr mit den Lesetexten im Cod.Vat.lat. 6082, die von A. Dold ediert wurden. Für die Gesänge geben wir als Belege die Nummern in AMS, im Antiphonale Missarum Sextuplex, an. Wenn die Gesänge Neumen haben,

[22] Bei der Formel Nr. 149 vergleichen wir mit dem Arno-Sakramentar (= Arn, ed. *Rehle*).

[23] Ed. *Rehle*. Leider konnten aus drucktechnischen Gründen für die vorliegende Edition mehrere von mir vorgesehene Ausführungen nicht berücksichtigt werden.

vermerken wir das in den Fußnoten. Ein Strich nach dem Sigel bedeutet, daß die zu vergleichende Formel dort fehlt. Ein Fragezeichen heißt, daß das betreffende Stück, meist handelt es sich um einen Alleluia-Vers, nicht gefunden werden konnte.

*

Zum Schluß möchte ich mich noch für die wertvolle Hilfe bedanken, die mir durch Hinweise und Erklärungen von Dr. Leo Eizenhöfer zuteil wurde, besonders was das Kalendarium betrifft. Leider konnte ich nicht alle Literatur einsehen, auf die ich hingewiesen wurde, weil sie mir in München nicht zugänglich war.

Der Bibliothekarin der Walters Art Gallery in Baltimore, Dorothy Miner, möchte ich hier ebenfalls meinen Dank aussprechen. Sie versuchte die Lagen des sehr eng gebundenen Codex ausfindig zu machen und beantwortete meine Fragen bezüglich der auf meinen Fotokopien nicht lesbaren Wörter.

Zu großem Dank bin ich auch Dr. Klaus Gamber, dem Herausgeber der Reihe ›Textus patristici et liturgici‹, verpflichtet.

Literaturverzeichnis

Amiet R., Un »Comes« Carolingien inédit de la Haute Italie, in: Ephem.lit. 73 (1959) 335–367; abgekürzt: CoP.

Bibliotheca Hagiographia Latina, Antiquae et mediae aetatis, (= Subsidia Hagiographica) Nr. 6 Tom. I, II, Socii Bollandiani, Bruxelles 1898–99, Nachdruck 1949; abgekürzt: BHL.

Combaluzier F., Sacramentairs de Bergame et d'Ariberto, Table des Matières, Index des Formules (= Instrumenta Patristica V) Steenbrugis 1962.

Dictionnaire d'histoire et de géographie ecclesiastiques siehe *Janin R.*

Diringer D., The Illuminated Book, Its history and production (London 1967).

Dold A., Die Zürcher und Peterlinger Meßbuchfragmente (= Texte und Arbeiten, Heft 25) Beuron 1934.

ders., Umfangreiche Reste zweier Plenarmissalien des 11. und 12. Jh. aus Monte Cassino, in: Ephem.lit. 53 (1939) 111–167.

ders., Die vom Missale Romanum abweichenden Lesetexte für die Meßfeiern nach den Notierungen des aus Monte Cassino stammenden Codex Vat.lat. 6082 (aus der Benediktus-Festschrift der Beuroner Kongregation (547–1947) Sonderdruck, Münster i.W.

Dold A. – *Gamber K.*, Das Sakramentar von Monza (= Texte und Arbeiten, Beiheft 3) Beuron 1957.

Doyé F. v. S., Heilige und Selige der röm.kath. Kirche, deren Erkennungszeichen, Patronate und lebensgeschichtliche Bemerkungen, 2 Bde., (Leipzig 1930).

Eizenhöfer L., Canon Missae Romanae (= Rerum ecclesiasticarum Documenta, Ser. minor I, Roma 1954), siehe auch bei *Mohlberg*.

Faye C. U. – *Bond W. H.*, Supplement to the Census of Medieval and Renaissance Manuscripts in the United States and Canada (New York 1962).

Fiala V., Der Ordo missae im Vollmissale des Cod.Vat.lat. 6082 aus dem Ende des 11. Jh., in: Zeugnis des Geistes, Gabe zum Benediktus Jubiläum 547–1947 (Beuron 1947) 180–224.

Gamber K., Codices Liturgici Latini Antiquiores (= Spicilegii Friburgensis Subsidia 1, 2. Aufl. Freiburg/Schweiz, 1968); abgekürzt: CLLA.

ders., Väterlesungen innerhalb der Messe an Heiligenfesten in beneventanischen Meßbüchern, in: Ephem.lit. 73 (1960) 163–165.

ders., Eine »Missa Communis« auf einem »fliegenden Blatt«, in: Sacris erudiri 17 (1966) 251–252.

ders., Sacramentarium Gregorianum I und II. Das Stationsmeßbuch des Papstes Gregor (= Textus patristici et liturgici Fasc. 4 und 6), Regensburg 1966/67.

Giovene J. M., Kalendaria vetera manuscripta aliaque monumenta ecclesiarum Apuliae et Iapygiae Tom. I (Napoli 1828).

Grotefend H., Zeitrechnung des deutschen Mittelalters und der Neuzeit (Hannover 1891/98).

Heiming O., Das Sacramentarium Triplex (= Corpus Ambrosiano Liturgicum I) Münster 1968.

Hennig J., Versus de mensibus, in: Traditio 11 (1955) 65–90.

Hesbert R. J., Paléographie Musicale Bd. XV (Bruxelles 1935).

ders., Antiphonale Missarum Sextuplex (Bruxelles 1935).

Jacobone N., Richerche sulla storia e la topografia di Canosa antica (Canosa di Puglia 1905).
Janin R., in: Dictionnaire d'histoire et de géographie ecclesiastiques 11 (1949): Canosa.
Kniewald C., Ordo et Canon Missae et Missale S. Sabinae MR 166 saec. XI. in: Ephem. lit. 70 (1956) 325–337.
Lietzmann H., Das Sacramentarium Gregorianum nach dem Aachener Urexemplar (= Liturgiegeschichtliche Quellen und Forschungen 3, Münster 1921).
Loew E. A., Die ältesten Kalendarien aus Monte Cassino (= Quellen und Untersuchungen zur lateinischen Philologie des Mittelalters 3, München 1908).
ders., The Beneventan Script, A History of the South-Italian Minuscule (Oxford 1914).
ders., Scriptura Beneventana (Oxford 1929).
Miner D. E., The Developement of the Medieval Illumination, in: Catholic Life Annual (1/1958).
dies., 2000 Years of Calligraphy, a three-part exhibition organized by the Baltimore Museum of Art, a Comprehensive Catalog (Baltimore, Maryland 1965) compiled by *Miner D. E., Carlson V. J., Filby P. W.*
Mohlberg L. C., Das fränkische Sacramentarium Gelasianum in alamanischer Überlieferung (= Liturgiegeschichtliche Quellen, Heft 1/2, Münster i. W., 1918, 2. Aufl. 1939).
Mohlberg L. C. – Eizenhöfer L. – Siffrin P., Sacramentarium Veronese (= Rerum ecclesiasticarum Documenta, Series maior, Fontes I, Roma 1956).
dieselben, Liber Sacramentorum Romanae aeclesiae ordinis anni circuli (= Rerum ecclesiasticarum Documenta, Series maior, Fontes IV, Roma 1960).
Novak V., Scriptura Beneventana (Zagreb 1920).
Olivar A., El Sacramentario de Vich (= Monumenta Hispaniae Sacrae, IV) Barcelona 1953.
Paredi A. (– Fassi G.), Sacramentarium Bergomese (= Monumenta Bergomesia VI) Bergamo 1962.
Rehle S., Missale Beneventanum, Der Codex VI, 33 des erzbischöflichen Archivs von Benevent, in: Sacris erudiri (in Druck).
dies., Sacramentarium Arnonis, Die Fragmente des Salzburger Exemplars (= Textus patristici et liturgici Fasc. 8), Regensburg 1970.
Ricci S. de – Wilson W. J., Census of Medieval and Renaissance Manuscripts in the United States and Canada (New York 1935).
Richter G. – Schönfelder A. V., Sacramentarium Fuldense saeculi X (= Quellen und Abhandlungen zur Geschichte der Abtei und Diözese Fulda IX) Fulda 1912.
Rossi J. B. de – Duchesne L., Martyrologium Hieronymianum (= Acta Sanctorum Nov. I 1, 1894).
Socii Bollandiani siehe Bibliotheca Hagiographia Latina.
Thorndike L. – Kibre P., A cataloque of incipits of medieval scientific writings in latin (London² 1963).
Walter H., Carmina medii aevi posterioris latina I. Initia carminum ac versuum medii aevi posterioris latinorum. Alphabetisches Verzeichnis der Versanfänge mittelalterlicher Dichtungen (Göttingen 1959).
Werner J. Die ältesten Hymnensammlungen von Rheinau (Leipzig 1891).

Verzeichnis der Sigla und Kürzungen*

AmB	= Ambrosianisches Sakramentar von Bergamo (CLLA Nr. 505)
AMS	= Antiphonale Missarum Sextuplex (ed. Hesbert)
B	= Codex VI, 33 des erzbischöflichen Archivs von Benevent (CLLA Nr. 430)
BHL	= Bibliotheca Hagiographia Latina (ed. Socii Bollandiani)
CLLA	= Codices Liturgici Latini Antiquiores (ed. Gamber)
CoP	= Comes Parisinus (CLLA Nr. 1210)
Dold, Lesetexte	= Die vom Missale Romanum abweichenden Lesetexte für die Meßfeiern nach Notierungen des aus Monte Cassino stammenden Cod. Vat. lat. 6082 (CLLA Nr. 445)
E	= Sakramentar des Ariberto (siehe Paredi und Combaluzier) (CLLA Nr. 530)
F	= Sakramentar von Fulda (CLLA Nr. 970)
Fiala	= Der Ordo missae im Vollmissale des Cod. Vat. lat. 6082 aus dem Ende des 11. Jh. (CLLA Nr. 445)
Gr	= Sacramentarium Gregorianum (ed. Gamber) (CLLA S. 325)
H	= Sacramentarium Hadrianum (ed. Lietzmann) (CLLA S. 337)
L	= Sacramentarium Leonianum (CLLA Nr. 601)
MR	= Missale Romanum
M	= Sakramentar von Monza (CLLA Nr. 801)
S	= Sacramentarium Sangallense (CLLA Nr. 830)
SB	= Sacramentarium Sangallense, Beigaben

* Verweise auf die einzelnen Texte wurden so knapp wie möglich gehalten, wobei solche Editionen bevorzugt genannt werden, in denen sich Konkordanztabellen befinden. Gelegentlich wurden solche Quellen angeführt, die eine besondere Aussagekraft haben, wenn z. B. nur hier die gleiche Formelfolge vorliegt. Einmal (Nr. 149) wurde auch das Arno-Sakramentar (= Arn) zum Vergleich herangezogen, weil keine andere Belegstelle zu finden war.

T	= Sacramentarium Triplex (CLLA Nr. 535)
U	= Sakramentar von Vich (CLLA Nr. 960)
V	= Codex Vaticanus (Gelasianum) (CLLA Nr. 610)
ZPL	= Die Zürcher und Peterlinger Meßbuchfragmente (ed. Dold) (CLLA Nr. 431)

Formular-Übersicht

MISSALE BENEVENTANUM

KALENDARIUM

MENSE JANUARII [fol. 2r]

Dies xxxj. Lune xxx. Nox hor. xvj. Dies hor. viij.

Hor. j.	et xj.	ped. xxviiij.	Hor. iiij.	et viij.	ped. xv.
Hor. ij.	et x.	ped. xviiij.	Hor. v.	et vij.	ped. xiij.
Hor. iij.	et viiij.	ped. xvij.	Hor. vj.		ped. xj.

Apud hebreos ian. sebath. Apud grecos eudinius. Secundum anglorum. Giuli. Apud egiptios. Mechir.

℣. Principium iani. sancit tropicus capricornus.

a	Kal. Jan.		Octaba dni. et circumcisio secundum carnem. et sci basilii confessoris. *Dies egiptiaca*[1].
b	iiij.	Non.	Sci ysidori episcopi. et macharii abbatis.
c	iij.	Non.	Rome. Nat. anteros pape et mar.
d	ij.	Non.	
e	Nonas. Jan.		Uigiliis epiphanie. *et sci symeonis monachi*[2].
f	viij.	Id.	Epiphanie.
g	vij.	Id.	Passio sci iuliani mar. aliorumque mar.
a	vj.	Id.	Nat. sci seuerini confes.
b	v.	Id.	Miraculum anastasii mar.
c	iiij.	Id.	Sci pauli eremite.
d	iij.	Id.	Nat. sci leucii conf. atque pontificis.
e	ij.	Id.	Nat. sci hylarii pictaui episcopi.
f	Idus. Jan.		Octaba epiphanie. Et sci potiti mar.
g	xviiij.	Kal. Feb.	Nat. sci felicis in pincis. et conf.
a	xviij.	Kal.	Passio sci hermuli mar. Et sci mauri monachi.

[1] *Dies egyptiaca* ist nicht konsequent mit hellerer Tinte geschrieben, wir bringen es jedoch immer kursiv.

[2] Hellere Tinte, andere Hand(?)

b	xvij.	Kal.	Nat. sci marcelli pape. *et sci fursei monachi*[3].
c	xvj.	Kal.	Nat. scorum mar. speusippi. elasippi. et melasippi.
d	xv.	Kal.	Nat. sce prisce uir. *Sol in aquarium*[4].
e	xiiij.	Kal.	Nat. sci modestini mar.
f	xiij.	Kal.	Nat. sci sebastiani mar. Et aliorumque[5] mar.
g	xij.	Kal.	Nat. sce agnes uir. et mar.
a	xj.	Kal.	Nat. sci uincentii leuite et mar. [2v]
b	x.	Kal.	Nat. sci emerentiani. et sci anastasii.
c	viiij.	Kal.	Nat. sci timothei mar.
d	viij.	Kal.	Nat. sci progecti mar. et conuers(atio) sci pauli.
e	vij.	Kal.	Conuersatio erit beate paule. *Dies egiptiaca.*
f	vj.	Kal.	Passio scorum mar. marii. ma[r]cie. et sociorum eorum.
g	v.	Kal.	Natiuitas sce agnes uir. et mar.
a	iiij.	Kal.	
b	iij.	Kal.	Nat. sci feliciani. et sci ypoliti.
c	ij.	Kal.	

MENSE FEBRUARII

Dies xxviij. Lune xxviiij. Nox hor. xiiij. Dies (hor. x)

Hor. j.	et xj.	ped. xxvij.	Hor. iiij.	et viij.	ped. xiij.
Hor. ij.	et x.	ped. xvij.	Hor. v.	et septima	ped. xj.
Hor. iij.	et viiij.	ped. xv.	Hor. vj.		ped. viiij.

Apud hebreos feb. yar. Apud grecos peritio. Apud egiptios phanemoth. Secundum anglorum. salmonath.

℣. Mense nume. in medio solis distat sydus aquarii.

[3] Hellere Tinte, andere Hand.
[4] Andere Hand(?)
[5] Wir belassen derartige Fehler im ms.

d	Kal. Feb.		Nat. sce brigide uir. Et sci paschasii abbatis.
e	iiij.	Non.	Ypopanti. et purificatio sce marie.
f	iij.	Non.	Passio sci triphonis mar. et blasii episcopi et mar.
g	ij.	Non.	
a	Nonas.		Nat. sce agathe uir. et mar.
b	viij.	Id.	Nat. sce soteris uir. et mar. Et sce dorothee uirg.
c	vij.	Id.	Nat. sci euboli mar. *Ueris initium.*
d	vj.	Id.	
e	v.	Id.	Depositio sci sabini canosini episcopi.
f	iiij.	Id.	Nat. sce scolastice uir.
g	iij.	Id.	
a	ij.	Id.	
b	Idus. Feb.		Nat. sci balentini episcopi et mar. [3r]
c	xvj.	Kal. Mar.	Passio sci pantaleonis mar.
d	xv.	Kal.	*Sol intrat in piscis.* Et eodem die dns nr ihs xps temptatus est a diabolo. Et scorum mar. faustini et iouitte.
e	xiiij.	Kal.	Nat. sce iulianes uir. et mar.
f	xiij.	Kal.	Passio sci cucufati mar.
g	xij.	Kal.	
a	xj.	Kal.	Depositio beati barbati beneuentani episcopi.
b	x.	Kal.	obiit delecta[6]
c	viiij.	Kal.	
d	viij.	Kal.	*Secundum romanos. hic intrat uer. permanet dies xcij.*
e	vij.	Kal.	
f	vj.	Kal.	Nat. sci mathie apostoli.
g	v.	Kal.	Inuentio capitis precursoris dni.
a	iiij.	Kal.	
b	iij.	Kal.	
c	ij.	Kal.	

[6] Von anderer Hand am Blattrand.

Dies xxxj. Lune xxx. Nox hor. xij. Dies xij.

Hor. j. (et xj.)	ped. xxv.	Hor. iiij. et viij.	ped. xj.
Hor. ij. et x.	ped. xv.	Hor. v. et vij.	ped. viiij.
Hor. iij. et viiij.	ped. xiij.	Hor. vj.	ped. vij.

Apud hebreos martius. iusan. Apud grecos distros. Apud egiptios parmuthi. Apud anglorum reamonath.
℣. Procedunt duplices. in tempore marti. pisces.

d	Kal. Mar.		
e	vj.	Non.	
f	v.	Non.	*Dies egiptiaca.*
g	iiij.	Non.	
a	iij.	Non	
b	ij.	Non.	
c	Nonas. Mar.		Nat. sce perpetue et felicitatis.
d	viij.	Id. Mar.	*Prima incensio lune paschalis.*
e	vij.	Id.	Nat. scorum mar. quadraginta.
f	vj.	Id.	
g	v.	Id.	
a	iiij.	Id.	Nat. sci gregorii pape.
b	iij.	Id.	
c	ij.	Id.	
d	Idus. Mar.		
e	xvij.	Kal. Aprilis	
f	xvj.	Kal.	
g	xv.	Kal.	*Sol. intrat in arietem. primus dies seculi.*
a	xiiii.	Kal.	
b	xiij.	Kal.	Uig. sci benedicti abbatis. *Hic equinoctium. hic implet dies hor. xij. nox hor. xij.*
c	xij.	Kal.	Nat. sci benedicti abbatis.
d	xj.	Kal.	
e	x.	Kal.	
f	viiij.	Kal.	*Series concurrentium.*
g	viij.	Kal.	Annuntiatio sce marie. Et dns nr ihs xps crucifixus est.

[3v]

a	vij.	Kal.	*Dies egiptiaca.*
b	vj.	Kal.	Resurrectio dni nri ihu xpi.
c	v.	Kal.	
d	iiij.	Kal.	
e	iij.	Kal.	
f	ij.	Kal.	

MENSE APRILIS

Dies xxx. Lune xxviiij. Nox hor. x. [4r] Dies hor. xiiij.

Hor. prima	et xj.	ped. xxiij.	Hor. iiij.	et viij.	ped. viiij.
Hor. ij.	et x.	ped. xiij.	Hor. v.	et vij.	ped. vij.
Hor. iij.	et viiij.	ped. xj.	Hor. vj.		ped. v.

Apud hebreos aprilis yar. Apud grecos xanticos. Apud anglos austor monath. Apud egiptios. pacho.

℣. Respicis aprilis aeries. frixere kalendas.

g	Kal. Aprilis.		
a	iiij.	Non.	
b	iij.	Non.	
c	ij.	Non.	*Ultima incensio lune.*
d	Nonas. Aprilis.		Depositio sci ambrosii episcopi.
e	viij.	Id. Aprilis.	
f	vij.	Id.	
g	vj.	Id.	hic houiit maio[7].
a	v.	Id.	
b	iiij.	Id.	*Dies egiptiaca.*
c	iij.	Id.	Nat. sci leonis pape.
d	ij.	Id.	
e	Idus. Aprilis.		
f	xviij.	Kal. Mai.	Nat. scorum mar. tiburtii et ualeriani.
g	xvij.	Kal.	
a	xvj.	Kal.	
b	xv.	Kal.	*Sol intrat in signum tauri.*
c	xiiij.	Kal.	

[7] Andere Hand.

d	xiij.	Kal.	Nat. scorum mar. onesiphori et porphirii. et sci leonis pape.
e	xij.	Kal.	Festiuitas sce marie egiptiake.
f	xj.	Kal.	*Dies egiptiaca.*
g	x.	Kal.	
a	viiij.	Kal.	Nat. sci georgii mar. et tres pueri in babilone de fornace liberati sunt[8]. [4v]
b	viij.	Kal.	
c	vij.	Kal.	Nat. sci marci apostoli et euangelista. letania.
d	vj.	Kal.	Nat. sci cleti pape. et sci marcelli pape.
e	v.	Kal.	*Hic egressio noe de arca.*
f	iiij.	Kal.	Nat. sci uitalis mar.
g	iij.	Kal.	
a	ij.	Kal.	Nat. sce petronelle. Et beati libici mar.

MENSE MAI

Dies xxxj. Lune xxx. Nox hor. viij. Dies hor. xvj.

Hor. j.	et xj.	ped. xxj.	Hor. iiij. et viij.	ped. vij.
Hor. ij.	et x.	ped. xj.	Hor. v. et vij.	ped. v.
Hor. iij.	et viiij.	ped. viiij.	Hor. vj.	ped. iij.

Apud hebreos. maius. siban. Apud grecos pachoth. Apud egiptios artimentus. Apud latinos. maias. Apus saxones drinulci.
℣. Maius agenorei. mirantur cornua tauri.

b	Kal. Mai.		Initium predicationis dni nri ihu xpi. in africa. gerapolim. Et nat. apostolorum philippi et iacobi.
c	vj.	Non.	Nat. sci (a)thanasii[10] episcopi.
d	v.	Non.	Inuentio sce atque uiuifice crucis. Et scorum mar. alexandri. euenti. et theodoli.
e	iiij.	Non.	Sce antonie uirg.

[8] Von *Kal. Aprilis* ab scheint diese Seite von anderer Hand geschrieben zu sein.
[10] *a* wurde wegradiert.

f	iij.	Non.	
g	ij.	Non.	Passio domnii mar. Et sci iohannis ante porta(m).
a	Non. Mai.		Nat. sci uictoris mar.
b	viij.	Id.	Inuentio sci michahelis in monte gar(ga)no.
c	vij.	Id.	*Initium estas. permanet dies xc.* Et sci barbarii.
d	vj.	Id.	Nat. scorum mar. gurdiani. cirilli. et petri.
e	v.	Id.	
f	iiij.	Id.	Nat. scorum mar. pancratii. nerei. et achillei. [5r]
g	iij.	Id.	Dedicatio sce gloriose dei genitricis et uir. marie.
a	ij.	Id.	*Exortus arcturi. Exortus matutino pots nidicule.*
b	Idus. Mai.		
c	xvij.	Kal. Iunias	
d	xvj.	Kal.	
e	xv.	Kal.	*Sol intrat in geminos.*
f	xiiij.	Kal.	Nat. sce potentiane uir.
g	xiij.	Kal.	Nat. scorum mar. eustasii. agapiti. theopisti et theopisten.
a	xij.	Kal.	
b	xj.	Kal.	Depositio sci constantini imperatoris.
c	x.	Kal.	*Hic implet dies hor. xvj. Nox hor. viij.*
d	viiij.	Kal.	
e	viij.	Kal.	Nat. sci canionis[11] episcopi et mar. *Secundum romanos. hic intrat estas. permanet dies xcij.*
f	vij.	Kal.	Depositio uenerabilis uede presbiteri.
g	vj.	Kal.	*Dies egiptiaca.*
a	v.	Kal.	
b	iiij.	Kal.	Nat. scorum mar. sisinnii. et alexandri.
c	iij.	Kal.	
d	ij.	Kal.	Nat. scorum mar. cantii. cantiani. et cantianille.

[11] Zwischen *ca* und *nionis* Rasur.

Dies xxx. Lune xxviiij. Nox hor. vj. Dies hor. xviij.

Hor. j.	et xj.	ped. xviiij.	Hor. iiij.	et viij.	ped. v.
Hor. ij.	et x.	ped. viiij.	Hor. v.	et vij.	ped. iij.
Hor. iij.	et viiij.	ped. vij.	Hor. vj.		ped. j.

Apud hebreos iunius tammus. Apud grecos. pain. Apud egiptios desyon. Apud latinos iunius. Apud saxones lida.
℣. Iunius equatos celos. uidet hyre laconas.

e	Kal. Iun.		Nat. sci erasmi mar. et sce tecle.
f	iiij.	Non.	Nat. sci marcellini presbiteri. et petri exorciste. et sce candide. [5v]
g	iij.	Non.	
a	ij.	Non.	*Initium mensis desii. secundum grecos.* et sci bo[ni]facii [archi]episcopi.
b	Nonas. Iun.		hic hobiit petrus firisandi[12].
c	viij.	Id.	Nat. sci uincentii episcopi et mar.
d	vij.	Id.	*Hic implet dies hor. xvij. Nox hora septima.*
e	vj.	Id.	Nat. scorum mar. primi et feliciani.
f	v.	Id.	*Dies egiptiaca.* hic obiit bella[13].
g	iiij.	Id.	
a	iij.	Id.	Nat. sci barnabe apostoli.
b	ij.	Id.	Nat. scorum mar. basilidis. cirini. naboris et nazarii.
c	Idus. Iun.		
d	xviij.	Kal. Iulii.	Depositio sci marci confessoris[14].
e	xvij.	Kal.	Scorum mar. uiti. modesti. et crescentie.
f	xvj.	Kal.	Nat. scorum septem dormientium.
g	xv.	Kal.	Sci bartholomei apostoli. et scorum nicandri. et marciani.
a	xiiij.	Kal.	*Sol intrat in cancrum.* Sci ysabri.
b	xiij.	Kal.	Nat. scorum mar. protasii et geruasii.
c	xij.	Kal.	*Hic secundum grecos sol(s)titium.*

[12] Andere Hand.
[13] Hellere Tinte, andere Hand.
[14] Andere Hand(?)

d	xj.	Kal.	Scorum mar. iustini. cariton. et caretine.
e	x.	Kal.	Nat. sci paulini episcopi. et nat. sci iacobi alphei.
f	viiij.	Kal.	Uig. sci iohannis baptiste. *hic implet dies hor. xviij. Nox hor. vj.*
g	viij.	Kal.	Natiuitas eiusdem. *Secundum romanos hic solstitium.*
a	vij.	Kal.	Passio sce febronie uirg.
b	vj.	Kal.	Scorum mar. iohannis et pauli.
c	v.	Kal.	
d	iiij.	Kal.	Sci leonis pape. et uig. apostolorum petri et pauli.
e	iij.	Kal.	Nat. apostolorum petri et pauli.
f	ij.	Kal.	Sci pauli apostoli.

MENSE IULII

Dies xxxj. Lune xxx. Nox horarum viij. [6r] Dies hor. xvj.

Hor. j. et xj.	ped. xviiij.	Hor. iiij. et viij.	ped. v.
Hor. ij. et x.	ped. xviij.	Hor. v. et vij.	ped. iij.
Hor. iij. et viiij.	ped. vij.	Hor. vij.	ped. j.

Apud hebreos. iulius. ab. Apud grecos ephi. Apud egiptios phanemos. Apud saxones. lida.

℣. Solstitium ardentis cancri. fert iulius astrum.

g	Kal. Iulii.		Sce pelagie. Et sci marcialis apostoli.
a	vj.	Non.	Scorum mar. processi et martiniani.
b	v.	Non.	Translatio sci thome apostoli in edessa.
c	iiij.	Non.	Translatio sci martini episcopi. in turonis. et ordinatio episcopatus eius.
d	iij.	Non.	Passio sce marine. *Dies egiptiaca.*
e	ij.	Non.	Octaba apostolorum petri et pauli.
f	Nonas.		Scorum mar. laurentii et petri.
g	viij.	Id.	Nat. sci procopii mar.
a	vij.	Id.	Sci patris nostri effrem.
b	vj.	Id.	Passio sce felicitatis et septem filiorum eius. et assumptio sci helie precursoris dni.

c	v.	Id.	
d	iiij.	Id.	Scorum mar. naboris et felicis.
e	iij.	Id.	Nat. sci hermagore[15] episcopi et mar. et fortunati archidiaconi. et scorum mar. iasonis et mauri. et tra(n)slatio sci benedicti abbatis.
f	ij.	Id.	Passio sci focati episcopi et mar.
g	Idus Iulii.		Nat. sci quirici et iulitte matris eius. *Dies caniculares.*
a	xvij.	Kal. Aug.	Nat. sce marine uirg.
b	xvj.	Kal.	Sci alexii. conf. et dedicatio sce marie can.
c	xv.	Kal.	*Sol in leonem. Ortus canicule.*
d	xiiij.	Kal.	Sci patris nostri arsenii.
e	xiij.	Kal.	Sci seueri episcopi. Et sce margarite uirg.
f	xij.	Kal.	Sce praxedis uir. et sci danihelis prophete.
g	xj.	Kal.	Sce marie magdalene. *Dies egiptiaca.* [6v]
a	x.	Kal.	Sci apollinaris episcopi et mar.
b	viiij.	Kal.	
c	viij.	Kal.	Nat. sci iacobi fratres iohannis apostoli. Et sci christofori.
d	vij.	Kal.	
e	vj.	Kal.	
f	v.	Kal.	Passio scorum mar. nazari et celsi.
g	iiij.	Kal.	Nat. scorum mar. felicis. simplicii. et beatricis. Et scorum mar. felicem et f(austinum).
a	iij.	Kal.	Scorum mar. abdon et sennes.
b	ij.	Kal.	*Nox hor. viij.*

MENSE AUGUSTI

Dies xxxj. Lune xxviiij. Nox hor. x. Dies xiiij.
Hor. j. et xj. ped. xxiij[16] Hor. iiij. et viij. ped. vijm.

[15] *sci s hermagore epi.* auf Rasur.
[16] Es hieß zuerst: xxiiij, der letzte Einer wurde durchgestrichen.

Hor. ij. et x.	ped. xviiij.	Hor. v. et vij.	ped. v.
Hor. iij. et viiij.	ped. viiij.	Hor. (vj.)	ped. iij.

Apud hebreos augustus. Elul. Apud grecos messuri. Apud egiptios laos. Apud latinos augustus. Apud saxones uueodmonath.
℣. Augustus mense. leo feruidus igne perurit.

c	Kal. Augus.		Nat. scorum mar. machabeorum. Et sci petri in uinculis.
d	iiij.	Non.	Sci stephani pape.
e	iij.	Non.	Inuentio corpora sci stephani et sociorum eius[17].
f	ij.	Non.	
g	Nonas. Aug.		Uig. transfigurationis dni.
a	viij.	Id.	Transfiguratio. Et sci xisti episcopi et mar. sci felicissimi et agapiti.
b	vij.	Id.	Sci donati episcopi et mar. *Secundum romanos hic intrat autumnus. Dies egiptiaca.*
c	vj.	Id.	Nat. sci quiriaci episcopi et mar. sci mirandi.
d	v.	Id.	Uig. sci laurentii leuite et mar.
e	iiij.	Id.	Nat. eiusdem.
f	iij.	Id.	Nat. scorum mar. tiburtii et ualeriani.
g	ij.	Id.	[7r]
a	Idus. Aug.		Sci ypoliti mar. et cassiani mar.
b	xviiij.	Kal.	Uig. sce marie. Et sci eusebii pape[18].
c	xviij.	Kal.	Assumptio sce et gloriose dei genitricis et uir. marie.
d	xvij.	Kal.	
e	xvj.	Kal.	Octaba sci laurentii.
f	xv.	Kal.	Passio sci agapiti mar. *Sol intrat in uirginum.*
g	xiiij.	Kal.	Nat. sci magni episcopi et mar.
a	xiij.	Kal.	
b	xij.	Kal.	
c	xj.	Kal.	Sci timothei mar. *Dies egiptiaca.*

[17] Andere Hand.
[18] Andere Hand.

d	x.	Kal.	
e	viiij.	Kal.	Translatio sci bartholomei apostoli de india in lipari. Et sci adoenis conf.
f	viij.	Kal.	*Secundum romanos hic intrat autumnum.*
g	vij.	Kal.	Nat. sci mercurii mar.
a	vj.	Kal.	Nat. sci pelagii mar. et sci ruphi.
b	v.	Kal.	Depositio sci augustini episcopi.
c	iiij.	Kal.	Decollatio sci iohannis baptiste. et sce sabine uir.
d	iij.	Kal.	Nat. scorum mar. felicis et audacti.
e	ij.	Kal.	

MENSE SEPTEMBRIS

Dies xxx. Lune xxx. Nox hor. xij. Dies xij.

Hor. j. et xj.	ped. xxiij.	Hor. iiij. et viij.	ped. viij.
Hor. ij. et x.	ped. xiiij.	Hor. v. et vij.	ped. v.
Hor. iij. et viiij.	ped. xj.	Hor. vj.	ped. iiij.

Apud hebreos. tiris. Apud grecos theth. Apud egiptios. scorpicus. Apud latinos. september. Apud saxones. alegiti nonath.
℣. Sidere uirgo tuo bachum september opimat.

f	Kal. Sept.		Nat. scorum mar. XIIm fratrum. et sci prisci.
g	iiij.	Non.	Passio sci terentiani episcopi. et sci abbidi diaconi. et sci antonini mar. [7v]
a	iij.	Non.	
b	ij.	Non.	
c	Nonas. Septem.		
d	viij.	Id.	*Fi(ni)unt dies caniculares.* Nat. sci zacharie prophete.
e	vij.	Id.	Passio sci adriani mar. aliorumque mar.
f	vj.	Id.	Natiuitas sce marie dei genitricis.
g	v.	Id.	Nat. sci gorgoni mar.
a	iiij.	Id.	
b	iij.	Id.	Nat. scorum mar. proti et iacinthi.
c	ij.	Id.	

d	Idus. Sept.		
e	xviij.	Kal.	Scorum mar. corneli et cypriani. Et exaltatio sce crucis.
f	xvij.	Kal.	Nat. sci nicomedis mar.
g	xvj.	Kal.	Nat. sce eufimie uir. et mar.
a	xv.	Kal.	*Sol intrat in libram.*
b	xiiij.	Kal.	ianuarii[19].
c	xiij.	Kal.	Nat. scorum mar. festi et desiderii.
d	xij.	Kal.	*Hic equinoctium.*
e	xj.	Kal.	Sci mathei apostoli et euangeliste. et sci celestes.
f	x.	Kal.	Passio sci mauricii mar. aliorumque mar. *Dies egiptiaca.*
g	viiij.	Kal.	
a	viij.	Kal.	*Hic secundum romanos equinoctium.* Et conceptio sci iohannis baptiste. et sce cristine uir. et mar.
b	vij.	Kal.	
c	vj.	Kal.	
d	v.	Kal.	Passio scorum mar. cosme et damiane[20].
e	iiij.	Kal.	
f	iij.	Kal.	Dedicatio sci michahelis archangeli. In urbe roma.
g	ij.	Kal.	Depositio beati ieronimi presbiteri. Et passio sce sophie. pistis. elpis. et agapes. filiarum eius. [8r]

MENSE OCTOBRIS

Dies xxxj. Lune xxviiij. Nox hor. xiiij. Dies x.

Hor. j. et xj.	ped. xxv.	Hor. iiij. et viij.	ped. xj.
Hor. ij. et x.	ped. xv.	Hor. v. et vij.	ped. vj.
Hor. iij. et viiij.	ped. xij.	Hor. vj.	ped. v.

19 Andere Hand(?)
20 *e* auf Rasur.

Apud hebreos. octuber. marchasian. Apud grecos paophi. Apud egiptios berberius. Apud latinos octuber.
℣. Equat et octuber sementis tempore libram.

a	Kal. Octub.		
b	vj.	Non.	
c	v.	Non.	
d	iiij.	Non.	Sci marcelli episcopi.
e	iij.	Non.	
f	ij.	Non.	
g	Nonas. Octubris.		Sci marci pape. Et [sci] lini pape. Et nat. sci sergii et bachii mar. Et eodem die scorum mar. marcelli et apolei.
a	viij.	Id.	
b	vij.	Id.	Scorum mar. dionisii. rustici. et euletherii. *Dies egiptiaca.*
c	vj.	Id.	
d	v.	Id.	
e	iiij.	Id.	
f	iij.	Id.	
g	ij.	Id.	Nat. sci calisti pape.
a	Idus Ioctubris.		Sci tamari beneuentani episcopi.
b	xvij.	Kal. Nouemb.	Inuentio sci michahelis in periculo maris.
c	xvj.	Kal.	
d	xv.	Kal.	Nat. sci luce apostoli et euangeliste. Et sci pardi conff.
e	xiiij.	Kal.	*Sol intrat in scorpionem.*
f	xiij.	Kal.	[8v]
g	xij.	Kal.	Depositio beati hylarionis monachi.
a	xj.	Kal.	*Dies egiptiaca.*
b	x.	Kal.	Sci longini mar.
c	viiij.	Kal.	
d	viij.	Kal.	Nat. scorum mar. chrisanti et darie. et translatio bartholomei apostoli de lipari.
e	vij.	Kal.	Nat. sci dimitrii mar.
f	vj.	Kal.	Uig. apostolorum simonis et iude. Et sci apollonii.

g	v.	Kal.	Nat. scorum apostolorum simonis et iude.
a	iiij.	Kal.	
b	iij.	Kal.	Depositio sci germani capuani episcopi.
c	ij.	Kal.	Nat. sci cesarii mar.

MENSE NOUEMBRIS

Dies xxx. Lune xxx. Nox hor. xvj. Dies viij.

Hor. j.	et xj.	ped. xxvj.	Hor. iiij.	et (viij.)	ped. x.
Hor. ij.	et x.	ped. xvj.	Hor. v.	et vij.	ped. vij.
Hor. iij.	et viiij.	ped. xij.	Hor. vj.		ped. vj.

Apud hebreos nouember. chisleph. Apud grecos. dios.
℣. Scorpicus hibernus. preces iuuet hire nouember.

d	Kal. Nouemb.		Commemoratio erit omnium sanctorum.
e	iiij.	Non.	
f	iij.	Non.	
g	ij.	Non.	Hic obiit grisa[21].
a	Nonas. Nouemb.		*Dies egiptiaca.*
b	viij.	Id.	*Nox hor. xv. Dies viiijm.* Sci michahelis in cho(...)
c	vij.	Id.	*Secundum hispanos hic intrat hiemps. permanet dies xcij.*
d	vj.	Id.	Scorum mar. quattuor coronatorum.
e	v.	Id.	Nat. sci theodori mar.
f	iiij.	Id.	Uig. sci martini episcopi. Et sci menne mar.
g	iij.	Id.	Depositio sci martini episcopi.
a	ij.	Id.	Nat. sci bricii confess. atque pontifici. [9r]
b	Idus. Nouemb.		Depositio beati iohannis constantinopolitani episcopi.
c	xviij.	Kal. Decemb.	Nat. sci uictoris mar.
d	xvij.	Kal.	

[21] Andere Hand(?)

e	xvj.	Kal.	Depositio beati gregorii neocesariensis episcopi.
f	xv.	Kal.	Nat. sci laberii mar. *Sol in sagittarium.*
g	xiiij.	Kal.	Sce tecle uir.
a	xiij.	Kal.	
b	xij.	Kal.	
c	xj.	Kal.	Nat. sci mauri presbiteri. Et samone et gurie.
d	x.	Kal.	Passio sce cecilie uir. et mar.
e	viiij.	Kal.	Nat. sci clementis episcopi et mar.
f	viij.	Kal.	Nat. sci grisochoni mar. *Hic (ueris) initium hiemis. secundum romanos permanet dies xcj.*
g	vij.	Kal.	Sci euletherii mar.
a	vj.	Kal.	Nat. sce ekatherine uir. et mar.
b	v.	Kal.	Nat. sci petri alexandrini epi.
c	iiij.	Kal.	*Dies egiptiaca.*
d	iij.	Kal.	Uig. sci andree apostoli.
e	ij.	Kal.	Nat. eiusdem.

MENSE DECEMBRIS

Dies xxxj. Lune xxviiij. Nox hor. xviij. Dies vj.

Hor. j. et xj.	ped. (x)xvij.		Hor. iiij. et viij.	ped. xj.
Hor. ij. et x.	ped. xvij.		Hor. v. et vij.	ped. viij.
Hor. iij. et viiij.	ped. xiiij.		Hor. vj.	ped. vij.

Apud hebreos december. teleth. Apud grecos. apileos. Apud anglorum. giuli. Apud egiptios tibi.

℣. Terminat arcitenens. medios sue signa decembris.

f	Kal. Decemb.		
g	iiij.	Non.	
a	iij.	Non.	[9v]
b	ij.	Non.	Passio sce barbare uir. et mar.
c	Nonas. Decemb.		Nat. sci fortunati episcopi. Et (...) de (...)
d	viij.	Id.	Nat. sci nycolay conf. atque pontificis.
e	vij.	Id.	Depositio sci ambrosii episcopi.

f	vj.	Id.	Nat. sci sabini spolitani episcopi et mar.
g	v.	Id.	Sci zenonis episcopi. et proculi mar.
a	iiij.	Id.	Nat. sce eulalie uir. et mar.
b	iij.	Id.	Sci damasi pape.
c	ij.	Id.	*Dies egiptiaca.*
d	Idus Decemb.		Passio sce lucie uir. et mar. Et sci ursicini.
e	xviiij.	Kal. Ian.	Passio sci eustratii mar. aliorumque mar.
f	xviij.	Kal.	*Dies egiptiaca.*
g	xvij.	Kal.	Conuersatio beati taises.
a	xvj.	Kal.	Dedicatio sci barbati confess. Et sci frosii.
b	xv.	Kal.	*Sol intrat in capricornum.*
c	xiiij.	Kal.	Conuersatio beate theodore.
d	xiij.	Kal.	Nat. sci ignatii episcopi et mar.
e	xij.	Kal.	Nat. sci thome apostoli. *Secundum grecos hic solstitium.*
f	xj.	Kal.	Sce eugenie uir. et mar. Et sci gregorii.
g	x.	Kal.	
a	viiij.	Kal.	Uig. natiuitatis dni nri ihu xpi.
b	viij.	Kal.	Natiuitas dni et sce anastasie. *Hic secundum romanos solstitium.*
c	vij.	Kal.	Nat. sci stephani leuite et [proto]mar.
d	vj.	Kal.	Nat. sci iohannis apostoli et euangeliste.
e	v.	Kal.	Nat. innocentorum.
f	iiij.	Kal.	Sci primiani conf.
g	iij.	Kal.	Passio sce columbe uir. et mar.
a	ij.	Kal.	Nat. sci siluestri pape.

(Dies egiptiace) [fol. 231r]

Iani prima dies et septima fine tenetur[22].
Ast februi quarta est precedit tertia fine.
Martis prima necat. cuius in cuspide quarta est.
Aprilis decima est. undeno in[23] [a] fine minatur.
Tertius est maio lupus est et septimus anguis.
Iunius in decimo quindeno a fine salutat.
Tridecimus iulii decimo innuit ante kalendas.
Augusti nepa prima fugat de fine secundam.
Tertia septembris uulpis. ferit a pede denam.
Tertius octubris gladius decimo ordine nectit.
Quinta nouembris acus uix tertia mansit in urna.
Dat duodena cohors septem inde decemque december.[24]

[22] *tenetur* statt *timetur*.
[23] *in* durchgestrichen.
[24] Zu diesen Versen und zum Kalendar vgl. auch Bauerreiss R., Zwei alte Kalendarien aus Wessobrunn in Oberbayern, in: Studien und Mitteilungen OSB 72(1961)171–192.

I. (MISSA IN HONORE OMNIUM APOSTOLORUM)

INTROITUS. Michi autem nimis [9v] 1

2
ORATIO. [10r] Beatorum apostolorum omnium honore continuo dne plebs tua semper exultet: et his presulibus gubernetur. quorum et doctrinis gaudet et meritis .,. per.

EPISTOLA *require in apostolorum.* 2a

3
SEQUENTIA SCI EUANGELII SECUNDUM IOHANNEM(!) (Mt 10,1–15): [10r] In illo tempore. Conuocatis ihs duodecim discipulis suis. dedit illis potestatem ... in die iudicii: quam illi ciuitati .,. [10v]

OFFERTORIUM. In omnem terram. 4

5
ORATIO SECRETA. Gloriam dne sanctorum apostolorum omnium perpetuam uenerantes. qs: ut et in sacris misteriis expiati: dignis celebremus officiis .,. per.

COMMUNIO. Uos qui secuti (estis). 6

7
ORATIO POST COMMUNIONEM. Sumpto dne sacramento suppliciter deprecamur: ut intercedentibus beatis apostolis tuis omnibus. quod temporaliter gerimus: ad uitam capiamus eternam .,. per.
[...]

1: AMS 160; Nachtrag am unteren Blattrand. Das ganze Formular von späterer Hand.
2: L– V– Gr– cf. F 885; Nachtrag auf fol. 10r unten, auf Rasur.
2a: Nachtrag (von späterer Hand?) ganz unten am Blattrand.
3: CoP–; beginnt fol. 10r oben.
4: AMS 160.
5: L– V 945 Gr–.
6: AMS 160.
7: L 1495 V 941 Gr–.

II. MISSA QUAM SACERDOS PRO SE IPSO DEBET CANERE [11r]

8

INTROITUS. Intret oratio mea in conspectu tuo. inclina aurem tuam ad precem meam dne. PS. Dne ds salutis mee.

9

ORATIO. Suppliciter te ds pater omips. qui es creator omnium rerum: deprecor: ut dum me famulum tuum: coram omnipotentiam maiestatis tue. grauiter deliquisse: confiteor: peto. manum misericordie tue michi porrigas: quatenus dum hanc oblationem tue pietati offero: [pro peccatis meis] quod nequiter ammisi: clementissime digneris absoluere .,. per.

10

ORATIO PRO TEMPTATIO CARNIS. Ure igne sci sps: renes nostros et cor nostrum qs dne: ut tibi casto corpore seruiamus: et mundo corde placeamus .,. per.

11

LECTIO EPISTOLE BEATI PAULI APOSTOLI AD ROMANOS (Rom 7, 14–25a) [11v]: Fratres: Scimus quia lex spiritalis est ... me liberauit de corpore mortis huius: gratia dei per ihm xpm dnm nrm .,. [12r]

12

ALLELUIA. Dne ds salutis mee. in die clamaui. et nocte coram te.

13

SEQUENTIA SCI EUANGELII SECUNDUM IOHANNEM(!) (Lc 5, 12–16): [12v] In illo tempore: Cum esset ihs in una ciuitatum. ecce uir erat ibi plenus lepra ... ipse autem secedebat in desertum et orabat .,. [13r]

14

OFFERTORIUM. Dne ds salutis mee. in die clamaui et nocte coram te. intret oratio mea in conspectu tuo inclina aurem tuam ad precem meam dne.

8: AMS 46a.
9: L– V– Gr– F– M 901.
10: L– V– Gr 872 F 1826 M 919; *corpore* auf Rasur, es hieß vorher *te* ... *tie*(?).
11: CoP–.
12: AMS 187.
13: cf. CoP 389.
14: AMS 46a.

15

ORATIO SECRETA. Ds misericordie: ds pietatis: ds indulgentie: indulge queso et miserere mei. sacrificium quoque quod pietati tue gratie pro peccatis meis humiliter offero: benignissime digneris suscipere: et peccata que labentibus uitiis contraxi: pius et propitius ac miseratus indulgeas: et locum penitentie: ac flumina lacrimarum: concessa uenia a te merear accipere .,. per.

16

ALIA ORATIO. Sacrificii presentis: queso dne [13v] oblatio mea expurget facinora. per quod totius mundi uoluisti relaxare peccata. illiusque frequentatione efficiar dignus: quod ut frequentarem suscepi indignus .,. per

17

COMMUNIO. Uoce mea ad dnm clamaui et exaudiuit me de monte sancto suo. non timebo milia populi circumdantis me.

18

ORATIO POST COMMUNIONEM. Omips sempiterne ds. ihu xpe dne. esto propitius peccatis meis. per assumptionem corporis et sanguinis tui. et per intercessionem beate et gloriose dei genitricis et uirginis marie. tu enim loquens dixisti. qui manducat meam carnem: et bibit meum sanguinem: ipse in me manet. et ego in eo. Ideo te supplex deprecor. [14r] ut in me cor mundum crees: et spiritum rectum innobes in uisceribus meis: et spiritu principali me confirmare digneris: et ab omnibus insidiis diaboli atque uitiis me emundes: ut gaudiis celestibus merear esse particeps .,. qui

19

ORATIO. Huius dne perceptio sacramenti. peccatorum meorum maculas tergat: et ad peragendum iniunctum officium me idoneum reddat .,. per.

15: L– V– Gr– F 2167 M 902.
16: L– V– Gr– F 2191 M–.
17: AMS 41.
18: L– V– Gr– F 2185 M–.
19: L– V– Gr– F 2193 M–.

III. MISSA PRO PECCATIS

20

INTROITUS. Tibi dixit cor meum quesiui uultum tuum. uultum tuum dne requiram ne auertas faciem tuam a me. PS. Dns illuminatio mea.

21

ORATIO. Ds qui iustificas impium. et non uis mortem peccatorum: maiestatem tuam suppliciter deprecamur: ut famulum tuum. ill. de tua misericordia [14v] confidentem: celesti protegas benignus auxilio: et assidua protectione conserues ut tibi iugiter famuletur. et nullis temptationibus a te separetur .,. per.

22

ALIA ORATIO. Omips sempiterne ds. miserere famulo tuo: ill: et dirige eum secundum tuam clementiam: in uiam salutis eterne: ut te donante tibi placere cupiat: et tota uirtute proficiat .,. per.

23

ORATIO. Absolue qs dne delicta famuli[e] tui[e]. ill: et a peccatorum suorum nexibus: que pro sua fragilitate contraxit: tua benignitate liberetur .,. per.

24

ALIA ORATIO. Exaudi qs omips ds preces nostras: quas in conspectu ma[15r]iestatis tue effundere presumimus. suppliciter deprecantes: ut famulum tuum. ill: de tua misericordia confidentem: benedicas: et omnia eius peccata dimittas: tuaque eum protectione conserues: ut possit tibi dignus fieri. et ad sempiternam beatitudinem ualeat feliciter peruenire .,. per.

25

ORATIO. Fac qs dne famulum tuum: ill: toto corde semper ad te concurrere: tibi subdita mente seruire: tuamque misericordiam suppliciter implorare: et de tuis beneficiis iugiter gratulari .,. per.

20: AMS 48a.
21: L– V– Gr– S– F 2280.
22: L– V– Gr 881 SB 53 F 2239.
23: L– V– Gr– cf. S 1200 F–.
24: L– V– Gr– S– F 2244.
25: L– V 1430 Gr– S– F–.

26

ALIA ORATIO. Presta qs dne famulo tuo. ill: consolationis auxilium: ut diuturnis calamitatibus labo[15v]rantem: propitius respirare concedas .,. per.

27

ORATIO. Protector in te sperantium ds: salua famulum tuum: ill. ut a peccatis sit liber. et ab hoste securus. in tua semper gratia perseueret .,. per.

28

ORATIO. Ds cui proprium est misereri semper et parcere: suscipe deprecationem nostram: et famulum tuum. ill: quem delictorum catena constringit. miseratio tue pietatis absoluat .,. per.

29

ORATIO. Largire qs dne famulo tuo: ill: indulgentiam placatus et pacem: ut pariter ab omnibus mundetur offensis: et secura tibi mente deseruiat .,. per.

30

ORATIO. Adesto dne supplicationibus nostris. et famuli tui: ill. deuotionem benignus intende. ut qui auxilium tue miserationis implorat: et sancti[16r]ficationis gratiam reserat. et que pie precamur optineat .,. per.

31

ORATIO. Ds qui nullum respuis. set quamuis peccantibus per penitentiam pia miseratione placaris. respice propitius ad preces humilitatis nostre. illumina corda famuli tui. ill. ut tua ualeat implere precepta .,. per.

32

ORATIO COMMUNIS. Pretende dne misericordiam tuam famulis et famulabus tuis. et omnibus commenditis meis. quorum uel quarum nomina apud nos scripta sunt. et quorum deuitores existimus. uel orare promisimus. et qui nobis suas largiti sunt helemosinas: siue pro his proprie qui hodie in nostris orationibus se commendauerunt. seu qui confessi sunt [16v] michi omnes:

26: cf. H 201,9. **27:** L– V– Gr– S– F 2233.
28: L– V– Gr 877 S– F 2075. **29:** cf. V 1238.
30: –; *miserationis implorat* (andere Hand?) . . . *ficationis gratiam* (auf Rasur?).
31: –. **32:** – cf. T 913; *sentiant* am Seitenrand.

dexteram celestis auxilii sentiant ut te toto corde perquirant: et que digne postulant consequi mereantur .,. per.

33

LECTIO LIBRI SAPIENTIE (!) (Thre 3,25–26.31–32.40–41): Bonus est dns sperantibus in eum. anime que querunt illum. Bonum est prestolare cum silentio salutare dei. quia non repellit in sempiternum dns: sed miserebitur secundum multitudinem misericordiarum suarum. Scrutemur ergo uias nostras. et queramus. et reuertamur ad dnm dm nrm. Leuemus corda nostra cum manibus ad deum in celum: ut misereatur nostri ds nr .,.

34

GRADUALE. Conuertere dne aliquantulum: et deprecare super seruos tuos. ℣. Dne refugium factus es nobis: a ge[17r]neratione et progenie.

35

ALLELUIA. ℣. Dne exaudi orationem meam. et clamor meus ad te perueniat.

36

SEQUENTIA SCI EUANGELII SECUNDUM LUCAM (Lc 18,9–14): In illo tempore: dicebat ihs ad eos qui in se confidebant tamquam iusti: et aspernabantur ceteros parabolam istam dicens. duo homines ascenderunt in templum ut orarent . . . et qui se humiliat exaltauitur .,. [17v]

37

OFFERTORIUM. Exaudi ds orationem meam et ne despexeris deprecationem meam. Intende in me et exaudi me.

38

ORATIO SECRETA. Grata tibi sit dne hec oblatio famuli tui. ill: quam tibi offerimus: in honore sci tui. ill. ut eidem proficiat ad salutem .,. per.

39

ORATIO. Proficiat qs dne hec oblatio. quam tue supplices offerimus [18r] maiestati: ad salutem famuli[e] tui[e]. ill: ut tua prouidentia: eius uita inter aduersa et prospera ubique dirigatur .,. per.

33: CoP–.
34: AMS 46a.
35: ?
36: cf. CoP 314.
37: AMS 54.
38: L– V– Gr– S– F 2236.
39: L– V– Gr 882 SB 54 F 2240.

40

ORATIO. Respice qs dne nostram propitius seruitutem: et hec oblatio famuli tui. ill. sit tibi munus acceptum: sit fragilitati nostre subsidium sempiternum .,. per.

41

ORATIO. Suppliciter exoramus clementiam pietatis tue: omips ds. ut concedas munera gratiarum tuarum indigno famulo tuo. ill: pro quo hoc sacrificium tue maiestati offerimus: ut ualeat hec congrua uota: tua clementia ei largiente. ad fructum per[18v]fectionis promereri .,. per.

42

ORATIO. Hostias tibi dne famuli tui. ill: placatus intende. et quas in honore nominis tui deuota mente celebrat: proficere sibi sentiat ad medelam .,. per.

43

ALIA ORATIO. Oblationes qs dne pro peccatis famuli tui. ill: placatus accipe: quia de te confidimus uerum propheta dixisse: immola deo sacrificium laudis: et redde altissimo uota tua: inuoca me in die tribulationis tue et eruam te .,. per.

44

ORATIO. Propitiare dne supplicationibus nostris: et hanc oblationem quam tibi pro incolumitate famuli tui: ill: offerimus: benignus [19r] assume: ut non sit irritum eius uotum: nulla uacua postulatio: presta qs: ut quod fideliter petimus: efficaciter consequatur .,. per.

45

ORATIO SECRETA. Ds spes uera credentium: ds gloria sempiterna sanctorum: per cuius miserationem: indulgentiam consequuntur peccatores: precamur te dne suppliciter. ut propitius respicias super hunc famulum tuum: ill. et sanctifices sacrificia ista. et sicut incensum flagrantem in hodorem suabissimum accipias .,. per.

40: cf. L 1114 V– Gr 746 S 1083 F 1606.
41: –.
42: – T 3131.
43: – AmB 1653.
44: L– V– Gr– S– F 2274.
45: L– V– Gr– S– cf. F 2278.

46

ORATIO SECRETA. Suscipe clementissime pater hostias placationis et laudis: quas ego peccator et indignus famulus tuus offere presumo ad honorem [19v] et gloriam nominis tui: et pro incolumitate famuli tui. ill: ut omnium delictorum suorum ueniam consequi mereatur .,. per.

47

ORATIO COMMUNIS. Miserere qs dne [ds] famulis et famulabus tuis omnibus commenditis meis: quorum uel quarum nomina apud nos scripta sunt. et quorum deuitores existimus: uel orare promisimus: et qui nobis suas largiti sunt helemosinas: siue pro his proprie qui hodie in nostris orationibus se commendauerunt: seu qui confessi sunt michi omnes: pro quibus hoc sacrificium laudis tue offerimus maiestati: ut per hec sancta superne benedictionis gratiam optinea[n]t. et gloriam tue beatitudi[20r]nis acquirant .,. per.

48

PREPHATIO. U+D usque equum et salutare .,. Te laudare: te benedicere. et glorificare: tue maiestati ac uoluntati: semper optemperare: in quo est salus omnium populorum .,. Cui abel munera obtulit: cui abraham holocaustum offere decreuit: cui iacob uotum uouit. et reddidit .,. Miserere dne famulo tuo. ill: pro quo in honorem sancti tui. ill: munera offerimus: ut per suffragia orationum sanctorum: te protectorem suum: semper agnoscat: et tui auxilii opem indesinenter optineat. et illud glorie tue recipiat premium. cui deuotum pectus. decreuit ad altam [20v] contemplationem suspendere .,. Tu es enim ds: qui nullum tibi perire uis: sed omnibus reddis magna pro paruis: pro morte uitam: pro pena gloriam: pro uotorum officiis premia sempiterna .,. per xpm dnm nrm .,.

49

COMMUNIO. Quis dauit ex (s)ion salutare israhel: cum auerterit dns captiuitatem plebis sue: exultauit iacob et letabitur israhel.

46: L– V– Gr– S– F 2245.
47: L– V– cf. Gr 879 S– cf. F 2266.
48: –.
49: AMS 54.

50

ORATIO POST COMMUNIONEM. Purificent nos dne qs: sacramenta que sumpsimus. et famulum tuum. ill: ab omni culpa liberum esse concede. ut qui conscientie sue reatu constringitur: de celestis remedii plenitudine glorietur .,. per.

51

ORATIO. Sumentes dne perpetue sacramenta salutis: tuam deprecamur clementiam. ut per ea famulum tuum. ill: [21r] ab omni aduersitate protegas .,. per.

52

ORATIO. Huius dne qs uirtute misterii satiati. et a propriis nos munda delictis: et famulum tuum. ill: ab omnibus absolue peccatis .,. per.

53

ORATIO. Sanctifiactionibus tuis omips ds: et uitia nostra curentur: et famulo tuo. ill: remedia sempiterna proueniant .,. per.

54

ORATIO. Omips sempiterne ds: pretende super famulum tuum. ill: spiritum gratie salutaris. et ut in ueritate tibi complaceat: perpetuum ei rorem tue benedictionis infunde .,. per.

55

ORATIO. Quos celesti dne recreas munere: perpetuo comitare presidio: et famulum tuum. ill: quem fouere non desinit. dignum fieri sempiterna [21v] redemptione concede .,. per.

56

ORATIO. Famulum tuum. ill: qs dne tua semper protectione custodi: ut libera tibi mente deseruiat. et te protegente a malis omnibus sit securus .,. per.

57

ORATIO. Tui dne perceptio sacramenti: et a nostris mundemur occultis. et famulum tuum. ill: ab omni culpa liberum esse concede .,. per.

50: L 1536 V– Gr– S– F 2283.
51: L– V– Gr 883 SB 55 F 2242.
52: L– V– Gr– S– F 2281.
53: L– V– Gr 765 S 1265 F 1664.
54: cf. Gr 863.
55: L– V 1435 Gr 865 S– F 2151.
56: L– V– Gr– SB 56 F 2248.
57: –.

58

ORATIO. Da qs dne famulis et famulabus tuis omnibus commenditis meis: uel omnibus benefactoribus meis: et quorum uel quarum nomina apud nos scripta sunt. et quorum debitores existimus: uel orare promisimus. seu qui confessi sunt michi omnes: in tua fide et sinceritate constantia: ut in [22r] caritate diuina firmati: nullis temptationibus a tua integritate euellantur .,. per.

59

ORATIO. Diuina libantes misteria qs: dne: ut hec salutaria sacramenta: illis proficiant ad prosperitatem: et pacem: pro quorum dilectione hec tue optulimus maiestati .,. per.

IV. MISSA PRO INFIRMIS

60

INTROITUS. Respice in me et miserere mei dne: Quoniam unicus et pauper sum ego: uide humilitatem meam et lauorem meum: et dimitte omnia peccata mea. PS. Ad te dne leuaui.

61

ORATIO. Ds qui famulo tuo ezechie: ter quinos ad uitam annos donasti. ita et famulum tuum. ill: a lecto egritudinis: tua potentia erigat ad salutem .,. per.

62

ALIA ORATIO. Respice dne famulum tuum. ill: [22v] in infirmitate sui corporis laborantem: et animam refoue quam creasti: ut castigationibus emundatus: continuo se sentiat tua medicina saluatum .,. per.

63

LECTIO EPISTOLE BEATI IACOBI APOSTOLI (Jac 5,13–16a): Fratres: Tristatur aliquis uestrum oret equo animo . . . orate pro inuicem ut sal[23r]uemini .,.

64

GRADUALE. Miserere michi dne quoniam infirmus sum: sana me dne. ℣. Conturbata sunt omnia ossa mea: et anima mea turbata est ualde.

58: – AmB 1328; die ganze Formel auf Rasur (?).
59: L– V– Gr– S– F 2268.
60: AMS 175.
61: L– V– Gr– F 2366 T 3440.
62: L– V– Gr– F 2367 T 3442.
63: CoP 520.
64: AMS 45a.

65

ALLELUIA. ℣. Ostende nobis dne misericordiam tuam, et salutare tuum da nobis.

66

SEQUENTIA SCI EUANGELII SECUNDUM MATHEUM(!) (Lc 7, 1–10): In illo tempore. Intrauit ihs capharnaum: centurionis autem cuiusdam seruus . . . inue[24r]nerunt seruum qui languerat sanum .,.

67

OFFERTORIUM. Expectans expectaui dnm: et respexit me. et exaudiuit deprecationem meam: et inmisit in os meum canticum nouum ymnum deo nro.

68

ORATIO SECRETA. Ds cuius nutibus uite nostre momenta decurrunt: suscipe preces et hostias famuli tui. ill. pro quo egrotante misericordiam tuam imploramus: ut de cuius periculo metuimus: de eius salute letemur .,. per.

69

ALIA ORATIO. Adesto dne supplicationibus nostris: et famulum tuum. ill: quem caritatis uisitamus officio: gratie tue largitate [locupleta. ut in eius prosperitate continua] gaudeamus .,. per.

70

PREPHATIO. U +D usque eterne deus: Suppliciter exoramus clementiam tuam: ut precibus nostris subuenire digneris. [24v] et da auxilium famulo tuo. ill: in infirmitate corporis pregrauato: mitte angelum misericordie tue: qui infirmitatem eius curet et corpus .,. Tuo enim precepto lazari restituta est propago: cecis uisum donasti: iob graui uulnere percussum: celesti uirtute sanasti: et socrum petri: de febris incendio liberasti .,. Simili hunc uirtute famulum tuum. ill: de afflictione corporis erue: ut de sua incolumitate: laudes referat glorie tue .,. per xpm dnm nrm.

71

COMMUNIO. Letauimur in salutari tuo. et in nomine dni dei nri magnificauimur.

65: AMS 1a. 66: CoP 522. 67: AMS 62.
68: L– V– Gr 885 F 2357 T 3449. 69: cf. V 1544. 70: –.
71: AMS 62.

72

ORATIO POST COMMUNIONEM. Ds infirmitatis humane singulare presidium: auxilii tui super in[25r]firmum famulum tuum. ill: ostende uirtutem: ut ope misericordie tue adiutus. ecclesie tue sancte representari mereatur incolumis .,. per.

73

ALIA ORATIO. Dne sancte pater omips eterne ds: te fideliter deprecamur: ut iacenti infirmo famulo tuo. ill: sacrosanctum corpus et sanguis ihu xpi dni nri: tam corporis quam anime proficiat [ad] sanitatem .,. per.

V. MISSA PRO PENITENTE

74

INTROITUS. De necessitatibus meis eripe me dne. uide humilitatem meam et lauorem meum. et dimitte omnia peccata mea. PS. Ad te dne leuaui ani(mam).

75

ORATIO. Presta qs omips ds: ut sicut puplicanum humiliter deprecantem exaltans. iustificare [25v] dignatus es: ita hunc famulum tuum. ill: in penitentie fletu iacentem: erigens iustificare: et ad eterna perducere digneris promissa .,. (per).

76

LECTIO HEZECHIELIS PROPHETE (Ez 18,21–23): Hec dicit dns: Si impius egerit penitentiam . . . ut conuertatur a uiis suis et uiuat: ait dns omips .,.

77

TRACTUS. De necessitatibus meis eripe me dne. uide humi[26r]litatem meam et lauorem meum et dimitte omnia peccata mea. Ad te dne leuaui animam meam ds meus in te confido non erubescam. Neque irrideant me inimici mei. Etenim uniuersi qui te expectant non confundentur [confundantur] omnes cogitationes uane.

72: L– V– Gr 886 F 2359 T 3451.
73: L– V– Gr– cf. F 2447 M 1131.
74: AMS 45a.
75: –.
76: CoP –.
77: AMS 26 (als Graduale).

78

SEQUENTIA SCI EUANGELII SECUNDUM LUCAM (Lc 15, 1–10): In illo tempore: Erant appropinquantes ad ihm: puplicani et peccatores . . . super uno peccatore penitentiam agente .,. [27r]

79

OFFERTORIUM. Miserere michi dne secundum magnam misericordiam tuam. dele [dne] iniquitatem meam.

80

ORATIO SECRETA. Respice qs dne ad preces famuli tui. ill: qui se tibi peccasse corde et mente grauiter confitetur: presta: ut per oblationem tui corporis: et sanguinis: quam tibi pro ipso offerimus: ei ueniam impetrare ualeamus .,. per.

81

PREPHATIO. U+D usque eterne deus: Cui potentia deprecanda est: misericordia [27v] adoranda: pietas amplectenda. opera magnificanda .,. Quis enim disputare potest opus omnipotentie tue: quod nec auris hominum audire: nec estimatio hominum poterit inuenire: quanta sit pietas misericordie tue. quam preparasti sanctis et electis tuis .,. Sed nos in quantum possumus miseri: territi quidem. de conscientia: set fisi de tua misericordia clementiam tuam suppliciter deprecamur: ut famulo tuo. ill: remissionem tribuas. peccata ipsius dimittas. opus eius in bonum perficias: uota condones .,. per xpm dnm nrm.

82

COMMUNIO. Dico uobis gaudium est angelis dei super uno peccatore penitentiam agente.

83

ORATIO POST COMMUNIONEM [28r]. Da nobis dne: ut sicut puplicani precibus: et confessione placatus es ita et huic famulo tuo. ill: placare: ut in confessione fleuili permanenti: expiatione perpetua clementiam tuam celeriter exoretur: sanctisque altaribus tuis: et sacramentis restitutus: rursus celesti gratie mancipetur .,. per.

78: CoP –. 79: AMS 48b. 80: –.
81: –. 82: AMS 197. 83: L– V– Gr– F 2450.

VI. MISSA PRO DEUOTO

84

INTROITUS. Oculi mei semper ad dnm: quoniam ipse euellet de laqueo pedes meos. respice in me et miserere mei. quoniam unicus et pauper sum ego. PS. Ad te dne leuaui animam meam.

85

ORATIO. Omips sempiterne ds: cui redditur uotum in hierusalem. per merita et intercessionem sancti tui. ill: exaudi preces famuli tui. ill: memor esto [28v] sacrificii sui. et holocausta sua pingue fiant: tribue ei qs: dne diuitias gratie tue: comple in bonis desiderium eius: corona eum in miseratione et misericordia. ut tibi pio dno deuotione famuletur: ignosce ei crimina: et ne lugenda committat: paterna pietate castiga .,. per.

86

LECTIO HESAYE PROPHETE (Is 18,7; 19,19.21–22.24–25): Hec dicit dns: In die illa defer[e]tur munus dno exercituum. et rex fortis dominauitur eorum. In die illa erit altare dni in medio terre: et cognoscetur dns: et colent eum in hostiis: et muneribus: et uota uouebunt dno: et soluent. et reuertentur ad dnm: et placauitur eis. et sanabit eos. [29r] In die illa erit israhel. benedictio in medio terre: cui benedixit dns exercituum dicens: benedictus populus meus: et opus manuum mearum: hereditas mea israhel. dicit dns omips .,.

87

GRADUALE. Esto michi in deum protectorem: et in locum refugii ut saluum me facias. ℣. Ds in te speraui dne: non confundar in eternum.

88

ALLELUIA. ℣. Confitemini dno et inuocate nomen eius: annuntiate inter gentes opera eius.

84: AMS 53.
85: L– V– Gr– S– F 2261.
86: cf. CoP 518.
87: AMS 61.
88: AMS 183.

89

SEQUENTIA SCI EUANGELII SECUNDUM MARCUM (Mc 12,41–44): In illo tempore: Sedens ihs contra gazophilacium . . . omnia que habuit: misit totum uictum suum .,. [29v]

90

OFFERTORIUM. Iustitie dni recte letificantes corda: et dulciora super mel et fauum. nam et seruus tuus custodiat ea.

91

ORATIO SECRETA. Ds pater omips: qui es uerus sanctus: et sanctorum omnium protector: tibi pio dno deuotis mentibus hostias laudis offerimus: pro commemoratione omnium sanctorum tuorum. suppliciter et pro famulo tuo. ill: precamur: ut ei dne indulgentiam tribuas omnium peccatorum suorum: et ne iterum ad uoluntatem peccan[30r]di redeat: propitius eum custodias .,. per.

92

COMMUNIO. Uouete et reddite dno dno deo uestro omnes qui in circuitu eius offertis munera: terribili et ei qui aufert spiritum principum terribili apud reges terre.

93

ORATIO POST COMMUNIONEM. Munere diuino percepto qs dne: ut deuotionem famuli tui. ill: confirmes in bono: et mittas ei auxilium de sancto: et de syon tuearis eum .,. per.

VII. MISSA PRO ITER AGENTIBUS

94

INTROITUS. Benedictus dns die cotidie prosperum iter faciat nobis ds patrum nostrorum. PS. Exurgat ds et (dissipentur inimici eius).

95

ORATIO. Dirige dne famulum tuum ill: in uia tua: et custodi eum in omnibus uiis tuis: et angelus sanctus tuus celestis comitetur cum eo: ad dirigendos [pedes] eius in uiam pacis .,. per.

89: CoP 519. **90:** AMS 53.
91: –. **92:** AMS 189b.
93: L– V– Gr– S– F 2264. **94:** ? **95:** –.

96

LECTIO LIBRI GENESIS (Gen 46,5.1–4): [30v] In diebus illis: Profectus est iacob cum omnibus que habebat et uenit ad puteum iuramenti: et mactatis ibi uictimis deo patris sui ysahac. audiuit eum per uisionem nocte uocantem se et dicentem sibi: iacob: cui respondit: ecce adsum: ait illi ds: ego sum fortissimus ds: patris tui. noli timere: descende in egiptum. quia in gentem magnam faciam te ibi .,. Ego descendam tecum illuc. et ego inde adducam te reuertentem: dicit dns omips .,.

97

GRADUALE. Prosperum iter faciat nobis ds noster. angelus autem dni bonus comitetur nobiscum. ℣. Cantate dno psalmum dicite nomini eius: iter facite ei, qui ascendit super occasum [31r] dns nomen est ei.

98

ALLELUIA. ℣. Benedictus dns die cotidie. prosperum iter faciet nobis ds nr.

99

SEQUENTIA SCI EUANGELII SECUNDUM MATHEUM(!) (Lc 10,3–12): In illo tempore. Ite ecce ego mitto uos sicut agnos inter lupos ... in die illa remissio erit: quam illi ciuitati .,. [31v]

100

OFFERTORIUM. Gressus nostros dirige dne secundum eloquium tuum. ut non dominetur omnis iniustitia dne.

101

ORATIO SECRETA. Famulum tuum dne. ill: hec [32r] tueantur ubique gradientem oblata sacrificia: que totius mundi in eterna uirtute compescere naufragia .,. per.

102

COMMUNIO. Prosperum iter faciat nobis ds salutaris noster.

103

ORATIO POST COMMUNIONEM. Sumpta dne celestis sacramenti misteria: qs ad prosperitatem itineris famuli tui. ill: proficiant. et eum ad salutaria cuncta perducant .,. per.

96: cf. CoP 515.
97: ?
98: ?
99: CoP 517.
100: AMS 59.
101: L– V– Gr– T 3410.
102: ?
103: L– V– Gr 889 T 3413.

104

INTROITUS. Salus populi ego sum dicit dns. de quacumque tribulatione clamauerint ad me exaudiam eos. et ero illorum dns in perpetuum. PS. Beati inmacula(ti).

105

ORATIO. Deus qui transduxisti patres nostros per mare rubrum: et transuexisti per aquam nimiam: laudem tui nominis decantantes: supplices te [32v] deprecamur: ut in hac naui constitutis famulis tuis repulsis aduersitatibus portum semper optabilem: cursumque luciferum largiaris .,. per.

106

LECTIO ACTUUM APOSTOLORUM (Act 27,1. 9.21–25. 34): In diebus illis: Cum iudicatum esset nauigare in italiam ... quia nullius uestrum capillus capitis peribit .,. [33r]

107

GRADUALE. Adiutor in oportunitatibus in tribulatione et sperent in te omnes qui nouerunt te. quoniam non derelinquis querentes te dne. ℣. Quoniam non in finem oblibio erit pauperis pa[33v]tientia pauperum non peribit in eternum. exurge dne non preualeat homo.

108

ALLELUIA. ℣. Dne refugium factus es nobis. a generatione et progenie.

109

SEQUENTIA SCI EUANGELII SECUNDUM MATHEUM (Mt 8,23–27): In illo tempore: Ascendente ihu in nauiculam secuti sunt eum discipuli ... qualis est hic quia uenti et mari obediunt ei .,. [34r]

110

OFFERTORIUM. Populum humilem saluum facies dne. et oculos superuorum humiliabis. quoniam quis ds preter te dne.

104: AMS 194a. 105: L– V– Gr– F 2329.
106: CoP –; unbedeutende Textänderungen gegenüber der Vulgata.
107: AMS 34; erronee: *papatientia*. 108: AMS 178b.
109: CoP –. 110: AMS 65a.

111

ORATIO SECRETA. Suscipe qs dne preces famulorum tuorum. cum oblationibus hostiarum: et tua misteria celebrantes ab omnibus defende periculis .,. per.

112

COMMUNIO. Tu mandasti mandata tua dne. custodire nimis. utinam dirigantur uie mee. ad custodiendas iustificationes tuas.

113

ORATIO POST COMMUNIONEM. Sanctificati diuino misterio maiestatem tuam dne suppliciter deprecamur: et petimus ut quos donis facis celestibus interesse. per lignum sancte crucis: et [34v] a peccatis abstrahas. et a periculis cunctis miseratus eripias .,. per.

IX. MISSA PRO IPSA DIE DEFUNCTI

114

INTROITUS. Requiem eternam dona ei dne. et lux perpetua luceat ei. PS. Te decet (hymnus).

115

ORATIO. Ds cui proprium est misereri semper et parcere: te supplices deprecamur pro anima famuli tui. ill: quam hodie de hoc seculo migrare iussisti: ut non tradas eam in manus inimici: et ne oblibiscaris in finem: sed iubeas eam a sanctis angelis suscipi: et ad patriam paradysi perduci: ut dum in te sperauit et credidit. non penas inferni sustineat: set gaudia eterna possideat .,. per.

116

LECTIO LIBRI SAPIENTIE (Eccli 38,16–18.21): [35r] Fili: super mortuum produc lacrimas: et quasi dyra passus incipe lamentari: et secundum dignitatem ipsius inuolue corpus eius: et ne despexeris sepulturam ipsius. Amaram fac plorationem secundum dignitatem ipsius: una die uel duobus: et accipe consolationem propter tristitiam: et ne uelis semper lugere: propter dnm: et ne exacerbes nomen dni dei tui .,.

111: L– V– cf. Gr 186 F 2330.
112: AMS 57b.
113: L– V– Gr– F 2332.
114: MR.
115: MR.
116: CoP –.

117

GRADUALE. Conuertere anima mea in requiem tuam quia dns benefecit michi. ℣. Quia eripuit animam meam de morte: oculos meos a lacrimis pedes meos a lapsu.

118

SEQUENTIA SCI EUANGELII SECUNDUM IOHANNEM (Jo 11,21–27): [35v] In illo tempore: Dixit martha ad ihm: dne si fuisses hic . . . tu es xps filius dei: qui in hunc mundum uenisti .,.

119

OFFERTORIUM. Dne conuertere [36r] et eripe animam meam saluum me fac propter misericordiam tuam.

120

ORATIO SECRETA. Propitiare dne anime famuli tui. ill: pro qua tibi hostiam placationis immolamus. maiestatem tuam suppliciter deprecantes: ut per hec pie placationis. officia: peruenire mereatur ad requiem sempiternam .,. per.

121

PREPHATIO. U +D usque eterne deus: Cuius misericordie munere te fideliter credentibus uita mutatur non tollitur. et in timoris tui obseruationem: defunctis domicilium. perpetue felicitatis acquiritur .,. Tibi igitur clementissime pater. preces supplices fundimus. et maiestatem tuam deuotis mentibus exo[36v]ramus: ut animam famuli tui. ill: cuius depositionis diem agimus: peccatorum catenis. et inferni uinculis absoluta: ad uitam transire mereatur eternam .,. per xpm dnm.

122

COMMUNIO. Ego sum resurrectio et uita. qui credit in me etiam si mortuus fuerit uiuet. et omnis qui credit in me non morietur in eternum.

123

ORATIO POST COMMUNIONEM. Presta qs dne: ut anima famuli tui. ill: que hodie de hoc seculo migrauit. his sacrificiis purificata: indulgentiam pariter et requiem capiat sempiternam .,. per.

117: AMS 191.
118: CoP 492.
119: AMS 68.
120: MR.
121: L– V– Gr– cf. AmB 1421.
122: ?
123: L– V– Gr– T 3521.

X. MISSA IN DEPOSITIONIS (DIE) · III · VII · XXX ·

124

INTROITUS. Exurge quare obdormis dne. exurge et ne repellas in finem. quare faciem tuam auertis oblibisceris tribulationem nostram [37r]. adhesit in terra uenter noster. exurge dne adiuba nos et libera nos. PS. Ds auribus nostris audiuimus.

125

ORATIO. Adesto qs dne supplicationibus nostris: pro anima famuli tui. ill: cuius diem tertium. septimum. tricesimum: in depositionem sui: officium commemorationis impendimus: ut si qua eum secularis macula inuasit: aut uitium mundiale infecit. dono tue pietatis indulgeas et abstergas .,. per.

126

LECTIO EPISTOLE BEATI PAULI APOSTOLI AD CORINTHIOS (I Cor 15, 41b–49): Fratres: stella enim ab stella differt in claritate . . . imaginem terreni. portemus etiam(!) celestis dni nri ihu xpi .,. [37v]

127

GRADUALE. Si ambulem in medio umbre mortis: non timebo mala quoniam tu mecum es dne. ℣. Uirga tua et baculus tuus ipsa me consolata sunt.

128

SEQUENTIA SCI EUANGELII SECUNDUM IOHANNEM (Jo 6,41–44): [38r] In illo tempore. Ego sum panis uiuus qui de celo descendi . . . et ego resuscitabo eum in nobissimo die .,. [38v]

129

OFFERTORIUM. De profundis clamaui ad te dne: dne exaudi orationem meam.

130

ORATIO SECRETA. Adesto dne supplicationibus nostris: et hanc oblationem quam tibi offerimus ob diem depositionis: tertium: septimum: tricesimum: pro anima famuli tui. ill: placidus ac benignus assume .,. per.

124: AMS 35; mit Neumen. **125:** L– cf. V 1690 Gr– T 3575.
126: CoP –. **127:** AMS 59. **128:** CoP –.
129: AMS 198. **130:** L– V 1693 Gr– T 3571.

131

PREPHATIO. U+D usque per xpm dnm nrm.,. Per quem salus mundi: per quem uita omnium: per quem resurrectio mortuorum .,. Per ipsum te dne suppliciter deprecamur: ut anime famuli tui. ill: cuius tertium: septimum: tricesimum: depositionis diem celebramus: indulgentiam largi[39r]ri digneris perpetuam: atque contagiis mortalitatis exutam. in eterne saluationis partem restituas .,. per quem maiestatem.

132

COMMUNIO. Dne memorabor iustitie tue solius ds docuisti me a iuuentute mea et usque in senectam. et senium ds ne derelinquas me.

133

ORATIO POST COMMUNIONEM. Omips sempiterne ds: collocare digneris animam famuli tui. ill: cuius diem tertium: septimum: uel tricesimum: depositionis celebramus: in sinibus habrahe. ysahac. et iacob: ut cum dies agnitionis tue uenerit: inter sanctos et electos tuos eum resuscitari percipias .,. per.

XI. MISSA PRO ANNIUERSARIUM (UNIUS DEFUNCTI)

134

INTROITUS. [39v] Ego autem cum iustitia apparebo in conspectu tuo satiabor dum manifestauitur gloria tua. PS. Exaudi dne ius(titiam).

135

ORATIO. Ds indulgentiarum indulge famulo tuo. ill: cuius hodie anniuersarii depositionis diem commemoramus: refrigerii sedem: quietis beatitudinem: luminis claritatem: ut largiaris oramus .,. per.

136

ALIA ORATIO. Adesto dne supplicationibus nostris. quibus misericordiam tuam suppliciter deprecamur: pro anima famuli tui. ill: cuius hodie annua dies agitur: ut eam mortalitatis: nexibus absolutam. inter sanctos et electos tuos: perpetuam habere: iubeas portionem .,. per dnm nrm ihm xpm.

131: L– V 1700 Gr– T 3572.
132: AMS 64.
133: L– V 1695 Gr– T 3574.
134: AMS 51.
135: L– V 1692 Gr 919 T 3576.
136: L– V– Gr– AmB 1453.

137

LECTIO LIBRI IOB (Job 19,20–27): [40r] In diebus illis: dixit iob pelli mee consumptis carnibus ... reposita est hec spes mea in sinu meo. [40v]

138

GRADUALE. Dirigatur oratio mea sicut incensum in conspectu tuo dne. ℣. Eleuatio manuum mearum sacrificium uespertinum.

139

SEQUENTIA SCI EUANGELII SECUNDUM IOHANNEM (Jo 6,40–44): In illo tempore: Amen amen dico uobis: hec est enim uoluntas patris mei ... et ego resuscitabo eum in nobissimo die .,. [41r]

140

OFFERTORIUM. Ad te dne leuaui animam meam: ds meus in te confido non erubescam: neque irrideant me inimici mei. etenim uniuersi qui te expectant non confundentur.

141

ORATIO SECRETA. Propitiare dne supplicationibus nostris: pro anima famuli tui. ill: cuius hodie annua dies agitur. [41v] pro qua tibi offerimus sacrificium laudis: ut eam sanctorum tuorum consortio sociare digneris .,. per.

142

ORATIO SECRETA. [40v–41r] Supplicamus omips ds in mensam pietatis tue. clementiam pro anima famuli tui. ill: cuius hodie annua dies agitur: ut eam ab inferni claustra. tua liberare potentia. et paradisi amenitate largire digneris .,. per.

143

PREPHATIO. U+D usque eterne deus: Altissime dominator dne: qui tribulantes ad te clamantes exaudis: et mentibus maceratis: peccatoribus indulgis .,. Refrigerare digneris qs dne spiritum et animam famuli tui. ill: cuius hodierna diem annuam orationis in tuo nomine agimus: paradisi hereditate fruatur: sinibus abrahe. loca purpurea circumde[n]t: expelletur ab omnibus maculis peccatorum: et liberetur [a penis] quas impii patiuntur .,. Non eius animam dominetur flamma ignis: set cum fidelium tuorum parte gratuletur: et in prime feli[42r]citatis aduentum habeat ordinem

137: CoP –. **138:** AMS 42. **139:** CoP –. **140:** AMS 1a.
141: L– V 1650 Gr 920 T 3577. **142:** –; am unteren Rand: drei Zeilen über zwei Blätter durchlaufend (von derselben Hand?) **143:** –.

resurgendi .,. Non illum ad supplicia rapia[n]t peccata carnalia: quem tua pietas deduxit ad fontem uite perhennis .,. per xpm dnm nrm.

144

COMMUNIO. Ego sum resurrectio et uita qui credit in me etiam si mortuus fuerit uiuet. et omnis qui credit in me non morietur in eternum.

145

ORATIO. Inclina dne precibus nostris: aures tue pietatis: et anime famuli tui. ill: cuius hodie annua dies agitur. remissionem tribue omnium peccatorum. ut usque ad resurrectionis diem: in lucis amenitate requiescat .,. per.

146

ORATIO. Suscipe dne preces nostras: pro anima famuli tui. ill: cuius hodie annua dies agitur: ut sique in eum [42v] macule de terrenis contagiis adheserunt: remissionis tue misericordia deleantur .,. per.

XII. MISSA PRO PLURES DEFUNCTI

147

INTROITUS. Requiem eternam dona eis dne: et lux perpetua luceat eis. PS. Te decet ymnus ds.

148

ORATIO. Preces nostras qs dne: quas in anima famuli tui. ill: sacerdotis commemoratione deferimus. propitiatus exaudi: ut qui nomini tuo ministerium fidele dependit: perpetua sanctorum tuorum societate letetur .,. per.

149

ORATIO. Tibi dne commendamus animam famuli tui. ill: [diaconi] ut defunctus seculo tibi uiuat: et quia per fragilitatem carnis [errorum] peccata in mundi conuersatione commisit: tu ueniam uerissime pietatis indul[43r]geas et abstergas .,. (per).

144: ? **145:** L– V– cf. Gr 921 T 3580; zwischen *hodie* und *annua* Rasur.
146: L– V– Gr– T 3579. **147:** MR.
148: L– cf. V 1629 Gr– T 3477. **149:** – Arn 106.

150

ORATIO. Omips sempiterne ds: cui numquam sine spe misericordie supplicatur: propitiare anime famuli tui. ill: [ursi] ut qui de hac uita in tui nominis confessione discessit sanctorum tuorum numero facias aggregari .,. per.

151

ORATIO. Absolbe qs dne animam famuli[e] tui[e]. ill: [delecte] ab omni uinculo delictorum: ut in resurrectionis gloriam: inter sanctos et electos tuos eum resuscitari precipias .,. per.

152

ORATIO. Inclina dne aurem tuam ad preces nostras: quibus misericordiam tuam suppliciter deprecamur: ut animam famuli tui. ill: quam de hoc seculo migrare iussisti: in pacis ac lucis regione constituas: et sanctorum tuorum [43v] iubeas esse consortem .,. per.

153

ORATIO. Ds qui uniuersorum es creator et conditor: quique es tuorum beatitudo sanctorum: presta nobis petentibus et spiritum famuli tui. ill: a corporis nexibus absolutum: in prima resurrectione facias presentari .,. per.

154

ORATIO. Exaudi nos omips et misericors ds. ut famulo tuo. ill: cuius memoriam agimus: premia uite eterne concedas: et lucis ac refrigerii cum fidelibus tuis prepares mansionem .,. per.

155

ORATIO. Ds infinite misericordie: suscipe pro anima famuli tui. ill: preces nostras. et lucis ei letitieque: in regione sanctorum tuorum. societatem concede .,. (per).

156

ORATIO. Da nobis qs dne: ut animam [44r] famuli tui. ill: in numero fidelium tuorum lux eterna possideat .,. per.

157

ORATIO. Ds fidelium redemptor animarum: presta qs: ut anima famuli tui. ill: in perpetua luce quiescat: et inter electos tuos gaudia eterna possideat .,. per.

150: L– V– Gr 922 T 3522. **151:** L– V– Gr– T 3519.
152: L– cf. V 1686Gr 931. **153:** L– V 1619 Gr–.
154: cf. EL 1953, 124. **155:** –. **156:** –. **157:** L– cf. V 720 Gr–.

158

ORATIO. Largire qs omips ds: ut anima famuli tui. ill: plene capiat te miserante lucem perpetuam .,. per.

159

ORATIO. Presta qs omips ds: ut animam famuli tui. ill: ab angelis lucis susceptam: in preparata habitacula deduci facias beatorum .,. per.

160

ORATIO COMMUNIS. Ds cuius miseratione anime fidelium requiescunt: fa[44v]mulis famulabusque tuis. uel omnibus in xpo quiescentibus: da propitius ueniam delictorum: ut a cunctis reatibus absoluti sine fine letentur .,. per.

161

LECTIO EPISTOLE BEATI PAULI APOSTOLI AD THESSALONICENSES (I Thess 4,13–18): Fratres: Nolumus uos ignorare de dormientibus . . . consolamini inuicem: in uerbis istis .,. [45r]

162

GRADUALE. Conuertere anima mea in requiem tuam. quia dns benefecit michi. ℣. Quia eripuit animam meam de morte oculos meos a lacrimis pedes meos a lapsu.

163

SEQUENTIA SCI EUANGELII SECUNDUM IOHANNEM (Jo 6,37–40): In illo tempore: Omne quod dat michi pater ad me ueniet . . . et ego resuscitabo eum in nobissimo die .,. [45v]

164

OFFERTORIUM. Dne conuertere et eripe animam meam. saluum me fac propter misericordiam tuam.

165

ORATIO SECRETA. Propitiare dne qs: anime famuli tui. ill: [diaconi] pro qua tibi hostias placationis offerimus: et quia in hac luce fide mansit catholica: in futura uita: ei retributio condonetur eterna .,. per.

158: –. **159:** L– V– Gr 924 T 3525.
160: L– V 1680 Gr 928; zwischen *Ds* und *cuius* Rasur. **161:** CoP 490.
162: AMS 191; ℣ ?. **163:** CoP 491. **164:** AMS 68.
165: L– V– Gr 923 T 3523.

166

ORATIO ALIA. [46r] Animam famuli tui. ill: [ursi] qs dne. ab omnibus uitiis condicionis humane: hec absoluat oblatio: que totius mundi tollit immolata peccatum .,. per.

167

ALIA ORATIO. Pro anima famuli[e] tui[e]. ill: [delecte] hostiam dne suscipe benignus oblatam. ut hoc sacrificio singulari. uinculis horrende mortis exuta: uitam mereatur eternam .,. per.

168

ORATIO. Annue nobis dne: ut anime famuli tui. ill: hec prosit oblatio: quam immolando totius mundi tribuisti relaxare delicta .,. (per).

169

ORATIO. Offerimus tibi dne hostias placationis et laudis: ut [in] perpetue misericordis largitatem: animam famuli [46v] tui. ill: in lucis eterne facias regione gaudere .,. per.

170

ORATIO SECRETA. [45v–46r] Concede qs omips ds: ut anima famuli tui. ill: sacerdotis per hec sancta misteria in tuo conspectu semper clara consistat. que fideliter ministrauit .,. per.

171

ORATIO. Annue nobis dne. ut (per) hec oblatio quam suppliciter immolamus: pro anima et requie famuli tui. ill: remissionem quam semper optauit. mereatur percipere peccatorum .,. per.

172

ORATIO. Munera dne oblata sanctifica: et animam famuli tui. ill: a peccatorum maculis emunda: et perpetue uite fac esse participem .,. per.

173

ORATIO. Hostias tibi dne laudis offerimus. pro anima famuli tui. ill: ut eum in numero fidelium tuorum: lux eterna possideat .,. per.

166: –. **167:** L– V– Gr– T 3555; zwischen *sacrificio* und *singulari* Rasur.
168: L– V– cf. Gr 932 F 2560 T 3520. **169:** cf. L 1394 V– Gr– T 3510.
170: L– V 1640 Gr– M 1057; am unteren Rand über zwei Seiten.
171: L– V– Gr– AmB 1506; *per* kaum sichtbar.
172: L– V– Gr– cf. AmB 287. **173:** –.

174

ORATIO. Munera qs dne que tibi pro anima famuli tui. ill: offerimus. [47r] placatus impende. ut remediis purgata celestibus. in tua pietate requiescat .,. per.

175

ORATIO COMMUNIS. Munera qs dne que tibi pro requie animarum famulorum famularumque tuarum. omnium in xpo quiescentium offerimus. ad earum redemptionem proficiant .,. per.

176

PREPHATIO. U +D usque eterne deus: In cuius aduentum cum geminam iusseris sistere plebem. iubeas famulum tuum. ill: a numero discernere malorum. quem tribuas euadere flammas pene eterne. et iuste potius adipisci premia uite .,. Induique iubeas deuicta morte uigorem. semperque inextinc[47v]tam habere luminis auram .,. Dignare ei dne dare perpetuam preclaro in corpore uitam: nox ubi nullas suas defendit atra tenebras: securus de salute placidus letetur in choris: semper uicturus semperque in luce fruiturus .,. per xpm dnm nrm.

177

COMMUNIO. Omne quod dat michi pater ad me ueniet. et eum qui uenit ad me non eiciam foras.

178

ORATIO POST COMMUNIONEM. Ascendant ad te dne preces nostre: et anima famuli tui. ill: sacerdotis: gaudia eterna suscipiat: ut quem fecisti adoptionis: participem: iubeas hereditatis tue esse consortem .,. per.

179

ALIA ORATIO. Purificet dne qs indulgentia tua: animam famuli tui. ill: [diaconi] [48r] et huius corporis et sanguinis participatio sacramenti. eterna refectione saginet: et sempiterna redemptione muniat .,. per.

180

ORATIO. Presta qs dne. ut anima famuli tui. ill: [ursi] sacris misteiris expiata: saluationis tue perpetuo munere gratuletur .,. per.

174: L– V– Gr– F 2488. **175:** L– V 1687 Gr–.
176: L– V– Gr– F 2550 AmB 1415 U 1627.
177: ? **178:** L– V 1647 Gr–.
179: –; *(rede)mptione mu*[*ni*]*at* über den Rand geschrieben. **180:** –.

181

ORATIO. Presta qs dne: ut anima famuli[e] tui[e]. ill: [delecte] hec sacra misteria ab uniuersis mundata delictis: eterna gaudia: te largiente percipere mereatur .,. per.

182

ORATIO. Ds cui soli competit medicinam prestare post mortem. presta qs: ut anima famuli tui. ill: terrenis exuta contagiis. in tue redemptionis. sorte numeretur .,. per. [48v]

183

ORATIO. Presta qs dne ut anima famuli tui. ill: his purgata sacrificiis: indulgentiam pariter et requiem capiat sempiternam .,. per.

184

ORATIO. Inueniat qs dne anima famuli tui. ill: lucis eterne consortium: qui in hac uita positus tuum consecutus est sacramentum .,. per.

185

ORATIO. Inclina dne precibus nostris aures tue pietatis: et anime famuli tui. ill: remissionem tribue omnium peccatorum. ut mortis uinculis absolutus: transitum mereatur ad uitam .,. per.

186

ORATIO. Satiati celestibus donis omips ds. presta qs: ut spiritum famuli tui. ill: a corporis nexibus abso[49r]lutum. in prima resurrectione facias presentari .,. per.

187

ALIA ORATIO. Ds a quo speratur humani corporis. omne quod bonum est. tribue per hec sancta que [sumpsimus] ut sicut anime famuli tui. ill: penitentie uelle donasti. sic indulgentiam. tribue miseratus optatus .,. per.

188

ORATIO. Ds fidelium lumen: remunerator animarum: adesto supplicationibus nostris. et dona omnibus fidelibus in xpo quiescentibus. refrigerii sedem. quietis beatitudinem. luminis claritatem .,. per.

181: –. **182:** L 1147 V 1667 Gr– AmB 1419. **183:** L– V– Gr– AmB 1411.
184: L– V 1670 Gr 936. **185:** L– V– Gr 921.
186: –. **187:** cf. L 1146 V 1661 Gr–. **188:** L– cf. V 1684 Gr 930.

189

INTROITUS. Misereris omnium dne et nichil odisti eorum que fecisti. dissimulans peccata hominum. propter penitentiam: et parce nobis [49v] quia tu es dns ds nr. PS. Miserere mei deus miserere.

190

ORATIO. Assit oratio sanctorum qui per uniuersum mundum passi sunt propter nomen tuum dne: et sanctorum apostolorum: martirum: ac uirginum: et sanctorum comitum eorum: qs dne et nos protege: et uiam nostram in salutis tue prosperitate dispone: ut inter omnes uite huius uarietates: tuo semper protegamur auxilio: et famulis ac famulabus tuis: qui nobis fecerunt helemosinam: et in orationibus nostris se commendauerunt: uel qui michi confessi fuerunt: quorum uel quarum nomina tibi sunt cognita: memora. porrige eis dexteram celestis auxilii: ut et te [50r] toto corde perquirant: et que digne postulant assequantur: et animabus omnium fidelium catholicorum: orthodoxorum: quibus donasti baptismi sacramentum: in regione sanctorum: iubeas dare eis consortium et plenitudinem gaudiorum .,. per.

191

ORATIO. Omnium sanctorum intercessionibus qs dne gratia tua nos protegat: et christianis omnibus uiuentibus atque defunctis: seu qui sua hic optulerunt. uel seruierunt. aut fuerunt rectores. misericordiam tuam ubique pretende: ut ab omnibus [uiuentes] inpugnationibus defensi: tua opitulatione saluentur: et defuncti remissionem mereantur suorum omnium accipere pec[50v]catorum .,. per.

192

LECTIO EPISTOLE BEATI IOHANNIS APOSTOLI (I Jo 1, 8–9): Karissimi: Si dixerimus quia peccatum non habemus . . . et mundet nos ab omni iniquitate ihs xps dns nr .,.

189: AMS 37a.
190: –; *uel quarum nomina tibi sunt (cogni)ta: memora* von anderer Hand auf Rasur, unter *ta* und *memora* die vorherige Schrift noch sichtbar, aber unleserlich. 191: –. 192: CoP –.

193

GRADUALE. Protector noster aspice ds: et respice super seruos tuos. ℣. Dne ds uirtutum exaudi precem seruorum tuorum.

194

ALLELUIA. ℣. Redemptionem misit dns populo suo.

195

SEQUENTIA SCI EUANGELII SECUNDUM IOHANNEN (Jo 3, 16–21): In illo tempore. Sic enim dilexit ds mundum . . . ut manifestentur eius opera. quia in deo sunt facta .,. [51v]

196

OFFERTORIUM. Sperent in te omnes qui nouerunt nomen tuum dne. quoniam non derelinquis querentes te psallite dno. qui habitat in sion. quoniam non est oblitus orationes pauperum.

197

ORATIO SECRETA COMMUNIS. Suscipe clementissime pater sanctas has oblationes: quas ego peccator presumo offere in honore dni nri ihu xpi: et omnium apostolorum: et martirum: et confessorum: ac uirginum: per intercessionem eorum pro pace et sanitate populorum tuorum et fructibus terre: et stabilitate ecclesie in fide et ordine sancto. et pro me misero famulo tuo: et pro incolumitate famulorum famularumque tuarum: quorum commemorationem agimus: et pro defunctis fidelibus [52r] tuis: qui michi propter nomen tuum sanctum dne bona fecerunt. et in tuo nomine confessi fuerunt: propitius esto nobis et eis dne sancte pater omips eterne ds. ante conspectum maiestatis tue. ut sacrificium presentis oblationis in refrigerium animarum nostrarum: te miserante perueniat .,. per.

198

ALIA ORATIO. Oblationibus nostris qs dne. propitiatus intende. et ob tuorum omnium sanctorum honorem: ueniam nobis nostrorum tribue delictorum: et christianis omnibus uiuentibus atque defunctis: hec sancta presens libatio: et uite presentis commoda: et futuri regni premia concedat .,. per.

199

COMMUNIO. Tu dne seruabis nos. et custodies nos a generatione hac in eternum. [52v]

193: AMS 41. 194: AMS 82. 195: CoP 235. 196: AMS 69b. 197: –.
198: –. 199: AMS 51.

200

ORATIO POST COMMUNIONEM. Miserere uiuorum dne: qui sacerdotibus tuis confessi fuerunt. uel qui se in orationibus nostris commendauerunt. da restaurationem defunctis. qui desiderantes penitentiam. de hac luce migrauerunt: da sanitatem infirmis. prosperitatem: in uia tua ambulantibus. pacem discordantibus. finem perfectam bene incipientibus. portum salutis nauigantibus. indulgentiam penitentibus. pacem christianis regibus. presta gloriosa et ammirabilis trinitas ds nr. qui es benedictus in secula seculorum .,. amen.

201

ALIA ORATIO. Hec sacrificia que sumpsimus dne. meritis et intercessione omnium sanctorum: nobis proficiant [53r] ad salutem. et uiuentibus atque defunctis omnibus christianis. seu qui sua hic optulerunt. uel seruierunt aut fuerunt rectores: te fauente eterna hac temporalia premia benigne concedas .,. per.

200: –. 201: –.

XIV. MISSA IN COTIDIANIS DIEBUS. FERIA II

202

INTROITUS. Misereris omnium dne et nichil odisti eorum que fecisti dissimulans peccata hominum propter penitentiam et parce nobis quia tu es dns ds noster. PS. Miserere mei ds miserere.

203

ORATIO. Perpetua qs dne pace custodi. quos in te sperare donasti .,. per.

204

LECTIO EPISTOLE BEATI PAULI APOSTOLI AD ROMANOS (Rom 13, 8–10): Fratres. Nemini quicquam debeatis [53v] . . . plenitudo ergo legis est dilectio .,.

205

GRADUALE. Conuertere dne aliquantulum et deprecare super seruos tuos. ℣. Dne refugium factus es nobis a generatione et progenie.

206

SEQUENTIA SCI EUANGELII SECUNDUM MATHEUM (Mt 6,7–15): [54r] In illo tempore. Orantes uos nolite multum loqui sicut ethnici . . . nec pater uester dimittet peccata uestra .,. [54v]

207

OFFERTORIUM. Si ambulauero in medio tribulationis uiuificabis me dne. et super iram inimicorum meorum extendes manum tuam et saluum me fecit dextera tua.

208

ORATIO SECRETA. Adesto nobis qs dne. et preces nostras benignus exaudi. ut qui fiduciam [55r] non habet meritorum. placatio optineat. hostiarum .,. per.

209

PREPHATIO. U +D usque per xpm dnm nrm .,. Per quem sanctum et benedictum nomen maiestatis tue. in omnibus creature tue terminis. a solis ortu usque ad hoccasum: in gloria semper et laude est .,. Quem laudant.

202: AMS 37a; Gesänge mit Neumen. **203:** L– V 1288 Gr 784.
204: CoP 50. **205:** AMS 46a. **206:** CoP –.
207: AMS 57a. **208:** L– V– Gr 786. **209:** L– V– Gr– cf. S 1305.

210

COMMUNIO. Tu dne seruabis nos et custodies nos a generatione hac in eternum.

211

ORATIO POST COMMUNIONEM. Misteria sancta nos dne. et spiritalibus repleant alimentis: et corporalibus tueantur auxiliis .,. per.

XV. FERIA III

212

ITEM INTROITUS. Salus populi ego sum dicit dns. [55v] de quacumque tribulatione clamauerint ad me exaudiam eos et ero illorum dns in perpetuum. PS. Adtendite.

213

ORATIO. Exaudi nos miserator et misericors ds. et continentie salutaris. propitius nobis dona concede .,. per.

214

LECTIO EPISTOLE BEATI PAULI APOSTOLI AD CORINTHIOS (II Cor 6, 14–7, 1): Fratres. Nolite iugum ducere cum infidelibus . . . perficientes sanctificationem in timore xpi .,. [56r]

215

GRADUALE. Protector noster aspice ds et respice super seruos tuos. ℣. Dne ds uirtutum. [56v] exaudi preces seruorum tuorum.

216

SEQUENTIA SCI EUANGELII SECUNDUM MATHEUM (Mt 18, 12–14): In illo tempore. Quid uobis uidetur si fuerint alicui centum oues . . . ut pereat unus de pusillis istis .,.

217

OFFERTORIUM. [57r] In te speraui dne dixi tu es ds meus in manibus tuis tempora mea.

210: AMS 51.
211: L– V 1291 Gr 787.
212: AMS 57a; Gesänge mit Neumen.
213: L– V 1292 Gr 788.
214: CoP –.
215: AMS 41; erronee: *Dnenine.*
216: CoP –.
217: AMS 42.

218

ORATIO SECRETA. Hanc hostiam qs dne suscipe placatus oblatam. quam sanctificando nobis efficias salutarem .,. per.

219

PREPHATIO. U +D usque gratias agere .,. Sub tue maiestatis pio iustoque moderamine. nos potius accusantes: qui ex ipsis flagellationibus: errores nostros debeamus agnoscere: et magis querimur quam rogamur .,. Et diuinam laceramus equitatem: quam nostra delicta corrigimus .,. Dum reos tua patientia [57v] abuti non oporteat postulari. quanto clementius expectas: benignus ut parcas. per xpm dnm nrm .,.

220

COMMUNIO. Uoce mea ad dnm clamaui et exaudiuit me de monte sancto suo non timebo milia populi circumdantis me.

221

ORATIO POST COMMUNIONEM. Sancta tua nos dne qs: et a peccatis exuant. et celestis uite uigore confirment .,. per.

XVI. FERIA IIII

222

INTROITUS. Sicut oculi seruorum in manibus dominorum suorum ita oculi nostri ad dnm deum nostrum donec misereatur nobis miserere nobis dne miserere [58r] nobis. PS. Ad te leuaui oculos meos.

223

ORATIO. Qs omips ds: ut plebs tua toto tibi corde deseruiat. et beneficia tua iugiter mereatur et pacem .,. per.

224

LECTIO EPISTOLE BEATI PAULI APOSTOLI AD ROMANOS (Rom 8, 1–6): Fratres. Nichil nunc dampnationis est . . . prudentia autem spiritus: uita et pax in xpo ihu dno nro .,. [58v]

225

GRADUALE. Propitius esto dne peccatis nostris ne quando dicant gentes ubi est deus eorum. ℣. Adiuua nos deus salutaris noster. et propter honorem nominis tui dne libera nos.

218: L– V– Gr 789. **219:** L– V– Gr– cf. S 1221. **220:** AMS 41.
221: L– V 1295 Gr 790. **222:** AMS 41; Gesänge mit Neumen.
223: L– V 1296 Gr 791. **224:** CoP –. **225:** AMS 46a.

226

SEQUENTIA SCI EUANGELII SECUNDUM IOHANNEM (Jo 6, 17–21): [59r] In illo tempore. Cum ascendissent discipuli ihu naue: uenerunt trans mare in capharnaum . . . et statim fuit nabis ad terram in qua ibat .,.

227

OFFERTORIUM. Populum humilem saluum facies [59v] dne et oculos superuorum humiliauis quoniam quis deus preter te dne.

228

ORATIO SECRETA. Suscipe qs dne hostiam redemptionis humane: et salutem nobis mentis et corporis: operare placatus .,. per.

229

COMMUNIO. Qui meditabitur in lege dni die hac nocte dauit fructum suum in tempore suo.

230

ORATIO POST COMMUNIONEM. Da qs omips ds: ut misteriorum uirtute nobis satiatis: uita nostra firmetur .,. per.

XVII. MISSA IN HONORE SANCTE TRINITATIS

231

ITEM INTROITUS. [60r] Benedicta sit sancta trinitas atque indiuisa unitas. confiteamur ei. quia fecit nobiscum misericordiam suam. PS. Benedicamus patrem.

232

ORATIO. Omips sempiterne ds: qui dedisti famulis tuis in confessione: uere fidei eterne trinitatis gloriam agnoscere: et in potentiam maiestatis adorare unitatem. qs: ut eiusdem fidei firmitate: ab omnibus semper muniamur aduersis .,. Qui uiuis et regnas trinus et unus ds per omnia secula seculorum. amen.

233

LECTIO EPISTOLE BEATI IOHANNIS APOSTOLI (I Jo 5,4–10): Karissimi. Omne quod natum est ex deo uincit mundum . . . qui credit in filium dei: habet testimonium dei in se .,. [60v]

226: CoP –. **227:** AMS 65a. **228:** L– V 481 Gr 792.
229: AMS 37b; erronee: *suuum*. **230:** cf. L 1067 cf. V 895 Gr 793.
231: Gesänge AMS 172 bis. **232:** L– V– Gr– SB 48. **233:** CoP –.

234

GRADUALE. Benedictus es dne qui intueris abissos: et sedes super cherubim. ℣ Benedicite deum celi et coram omnibus uiuentibus confitemini ei. [61r]

235

ALLELUIA. ℣. Benedictus es dne ds patrum nostrorum et laudauilis in secula.

236

SEQUENTIA SCI EUANGELII SECUNDUM IOHANNEM (Jo 15,26–16,4): In illo tempore. Cum autem uenerit paraclitus quem ego mittam uobis . . . ut cum uenerit hora eorum. reminiscamini. quia ego dixi uobis .,. [61v]

237

OFFERTORIUM. Benedictus sit deus pater unigenitusque dei filius. sanctus quoque spiritus quia fecit nobiscum misericordiam suam.

238

ORATIO. Sanctifica qs dne ds per tui nominis inuocationem huius oblationis hostiam. et per eam nosmedipsos tibi perfice munus eternum .,. per.

239

PREPHATIO. U+D usque eterne ds: Qui cum unigenito filio tuo. et spiritu sancto unus es deus. unus es dns. non in unius singularitate persone. set in unius trinitatis substantia .,. Quod enim de gloria tua [te] reuelante credimus: hoc de filio tuo. hoc de spiritu sancto: sine differentia dis[62r]cretionis sentimus .,. Ut in confessione uere sempiterneque deitatis. et in personis proprietas. et in essentia unitas: et in maiestate adoretur equalitas .,. Quem laudant angeli.

240

COMMUNIO. Benedicimus deum celi et coram omnibus uiuentibus. confitebimur ei quia fecit nobiscum misericordiam suam.

241

ORATIO POST COMMUNIONEM. Proficiat nobis ad salutem corporis et anime dne ds. huius sacramenti susceptio et sempiterne sancte trinitatis professio .,. per.

236: CoP –.
238: L– V– Gr– SB 49.
239: L– V 680 Gr– SB 50.
241: L– V– Gr– SB 51.

XVIII. MISSA IN HONORE SANCTE CRUCIS

242

INTROITUS. Nobis autem gloriari oportet in cruce dni nri ihu xpi. in quo est salus uita et resurrectio nostra. per quem saluati et liberati sumus. PS. Ds misereatur nobis.

243

ORATIO. [62v] Ds qui unigeniti filii tui: pretioso sanguine uiuifice crucis: uexillum sanctificare uoluisti: concede qs: ut eos qui eiusdem sancte crucis gaudent honore: tua quoque ubique facias protectione gaudere .,. per eundem.

244

LECTIO EPISTOLE BEATI PAULI APOSTOLI AD PHILIPPENSES (Phil 2, 8–11): Fratres: xps factus est pro nobis obediens usque ad mortem ... quia dns nr ihs xps: in gloria est dei patris .,. [63r]

245

GRADUALE. Xps factus est pro nobis: obediens usque ad mortem: mortem autem crucis. ℣. Propter quod et ds exaltauit illum: et dedit illi nomen quod est super omne nomen.

246

ALLELUIA. ℣. Nos autem gloriari oportet in cruce dni nri ihu xpi.

247

SEQUENTIA SCI EUANGELII SECUNDUM MATHEUM (!) (Lc 18,31–33): In illo tempore. Assumpsit ihs duodecim discipulos suos et dixit illis: ecce ascendimus hierusolimam ... et die tertia resurget .,. [63v]

248

OFFERTORIUM. Dextera dni fecit uirtutem: dextera dni exaltauit me. non moriar set uiuam et narrabo opera dni.

249

ORATIO SECRETA. Hec oblatio qs dne ab omnibus nos purget offensis. que intra crucis etiam totius mundi tulit offensa .,. per.

242: Gesänge AMS 97 bis. **243:** L– V– Gr– F 1837. **244:** cf. CoP 546.
246: ? **247:** CoP –. **249:** L– V– Gr– F 1838.

250

PREPHATIO. U +D usque eterne ds .,. Qui salutem humani generis in ligno crucis constituisti. ut unde mors oriebatur. inde uita resurgeret. Et qui in ligno uincebat: in ligno quoque uinceretur .,. Et ideo cum angelis.

251

COMMUNIO. Nos autem gloriari oportet in cruce dni nri ihu xpi.

252

ORATIO POST COMMUNIONEM. Adesto dne ds nr: et quos sancte [64r] crucis letari fecisti honore: perpetuis quoque defende presidiis .,. per.

XIX. MISSA IN HONORE SANCTE MARIE

253

INTROITUS. Uultum tuum deprecabuntur omnes diuites plebis. adducentur regi uirgines post eam proxime eius. adducentur tibi in letitia et exultatione. PS. Eructa(uit).

254

ORATIO. Concede nobis famulis tuis. qs omips ds: perpetua mentis et corporis prosperitate gaudere. et gloriose beate marie semper uirginis intercessione. a presenti liberari tristitia. et futura perfrui letitia .,. per.

255

LECTIO LIBRI SAPIENTIE (Eccli 24,14–16): Ab initio ante secula creata sum . . . et in plenitudine sanctorum detentio mea .,. [64v]

256

GRADUALE. Dilexisti iustitiam et hodisti iniquitatem. ℣. Propterea uncxit te ds. ds tuus oleo letitie.

257

SEQUENTIA SCI EUANGELII SECUNDUM LUCAM (Lc 1,39–47): In illo tempore. Exurgens maria abiit in montana . . . exultauit spiritus meus in deo salutari meo .,.

250: L– V– Gr– F 1839.
252: L–V–Gr–F 1840
253: AMS 16 bis.
254: L– V– Gr– SB 37.
255: CoP –.
256: AMS 3.
257: CoP –.

258

OFFERTORIUM. Offerentur regi uirgines [65v] post eam proxime eius. offerentur tibi.

259

ORATIO SECRETA. Tua dne propititatione: et beate marie semper uirginis intercessione. ad perpetuam atque presentem: hec oblatio. nobis proficiat prosperitatem .,. per.

260

PREPHATIO. U +D equum et salutare .,. Nos tibi summe ds. hic et ubique semper gratias agere .,. Et beate marie semperque uirginis. laudes reddentes deuitas. imploramus eius clementiam .,. Ut ipsa pro nobis intercedere dignetur. per quam meruimus suscipere uite auctorem: ihm xpm dnm nrm .,. Quem una tecum omips pater: et cum spiritu sancto: Quem laudant [66r] angeli atque archangeli. cherubin quoque et seraphin. et non cessant clamare dicentes .,.

261

COMMUNIO. Diffusa est gratia in lauiis tuis. propterea benedixit te ds in eternum.

262

ORATIO POST COMMUNIONEM. Sumptis dne nostre salutis subsidiis: da qs. eius nos patrociniis ubique protegi: in cuius ueneratione. hec tue optulimus maiestati .,. per.

*

263

(ORATIO). In spiritu humilitatis. et in anima contrita: suscipiamur dne a te: et sic fiad sacrificium nostrum (in conspectu tuo) ut a te suscipiatur hodie: et placeat tibi dne ds .,.

264

(ALIA). Ueni inuisibilis sanctificator omips. et benedic sacrificium [66v] preparatum tibi. inspector cordis. lumen de lumine nate. Sint tibi nunc precor hec munera grata deus .,.

258: AMS 16 bis. **259:** L– V– Gr– SB 38. **260:** –.
261: AMS 3. **262:** L– V– Gr– SB 39; mit Neumen.
263: cf. MR; Fiala S. 203 (Nr. 32); *in conspectu tu(o)* von späterer Hand an den Rand geschrieben. **264:** cf. MR.

265

Orate pro me fratres: ut meum pariter et uestrum sacrificium acceptum sit ad nomen. et ill.

℟. Sit dns in corde tuo et in ore tuo. et suscipiat [dns] sacrificium acceptum sibi de ore tuo. et de manibus tuis. pro nostra omniumque salutem .,. quem

265: cf. Fiala 206 (45/46); Kniewald 334; auf freiem Raum unten auf der Seite von nur wenig späterer Hand.

XX. (PREPHATIO COMMUNIS)

266

Per omnia secula seculorum.	Amen.
Dominus uobiscum.	Et cum spiritu tuo.
Sursum corda.	Habemus ad dominum.
Gratias agamus dno deo nro.	Dignum et iustum est.

267

Uere [67v] dignum et iustum est. equum et salutare: Nos tibi semper et ubique gratias agere: Dne sancte pater omips eterne ds. per xpm dnm nrm .,. Per quem maiestatem tuam laudant angeli. adorant dominationes. tremunt potestates .,. Celi celorumque uirtutes: ac beata seraphim socia exultatione concelebrant .,. Cum quibus et nostras uoces. ut admitti iubeas deprecamur supplici confessione dicentes .,.
Sanctus: Sanctus: Sanctus: Dns ds sabaoth: pleni sunt celi et terra gloria tua. Osanna in excelsis: benedictus qui uenit in nomine dni. Osanna in excelsis .,.

268

Et ideo cum angelis et archangelis cum [68r] tronis et dominationibus. Cumque omni militia celestis exercitus: hymnum glorie tue canimus: sine fine dicentes. Sanctus. Sanctus. Sanctus.

269

[68r] Aperi dne os meum ad benedicendum nomen sanctum tuum: mundaque cor meum ab omnibus uanis et nequissimis cogitationibus ut exaudire merear: deprecans te propter populo tuo. quem elegisti tibi qui uiuis et regnas in secula seculorum.

266: cf. MR.
267: MR B 89; Fiala S. 210 (73); mit Neumen bis *Sanctus*.
268: MR; Fiala S. 210 (74) von späterer Hand
269: –; Formel auf der Te igitur-Seite, links neben dem *T* von späterer Hand; mereas (!).

XXI. (CANON MISSE)

270

Te igitur [68v] Clementissime pater. per ihm xpm filium tuum dnm nrm. Supplices rogamus et petimus: uti accepta habeas. et benedicas hec dona † hec munera † hec sca † sacrificia illibata. In primis que tibi offerimus: pro ecclesia tua sca catholica: quam pacificare: custodire: adunare et regere digneris toto orbe terrarum. Una cum famulo tuo papa nostro. ill. et antistite nostro: ill. uel rege nostro. ill. et omnibus orthodoxis atque catholice et apostolice fidei cultoribus .,. (Michi quoque indignissimo famulo tuo propicius esse digneris) [69r] et ab omnibus delictis et offensionibus me digneris emundare .,.

271

[69r] Memento dne famulorum [famuli tui iohannis] famularumque tuarum. ill. et ill: Et omnium circum astantium: atque omnium fidelium christianorum: quorum tibi fides cognita est. et nota deuotio. Pro quibus [tibi] offerimus: uel que tibi offerunt hoc sacrificium laudis pro se suisque omnibus. [et] pro redemptione animarum suarum: pro spe salutis et incolumitatis sue: tibique reddunt uota sua eterno deo uiuo et uero .,.

272

Communicantes et memoriam [69v] (sanctam?) uenerantes. In primis bea(te et) gloriose semperque uirginis marie genitricis dei. et dni nri ihu xpi. Sed et beatorum apostolorum ac martirum tuorum: uel confessorum. Petri. Pauli. Andree. Iacobi. Iohannis. Thome. Iacobi. Philippi. Bartholomei. Mathei. Simonis et Tadei.

270: MR B 90; Fiala S. 210 (75); hierzu siehe auch *Eizenhöfer*, Canon Missae Romanae; + jeweils über dem vorhergehenden Wort; *uel rege nro. ill. et omnibus* auf Rasur, nach *cultoribus* Rasur von einer Zeile, Text noch etwas sichtbar; fol. 69r Rasur der oberen 3 sowie der 6., 7. und 8. Zeile, 4. und 5. Zeile Erstschrift.

271: MR; *Memento* bis *ill. et ill.* ursprüngliche Schrift, dann drei Zeilen Rasur, *Et omnium* bis *christianorum* auf Rasur, spätere Hand.

272: MR; *tuam* wegradiert, *beate et* wegradiert, *bea* noch sichtbar, *uel confessorum* kaum leserlich, *uincentii* wegradiert; nach *clamaui* Rasur über drei Zeilen, nach *triumphus* Rest der Zeile leer. Bei Fiala S. 211 (77) steht noch: »in toto orbe terrarum«.

Lini. Cleti. Clementis. X[s]isti. Cornelii. Cypriani. Laurentii. Uincentii. Chrisoch[g]oni. Iohannis. et Pauli. Cosme et Damiani. [. . .] Necnon et illorum quorum hodie sollempnitatis in conspectu glorie tue celebratur [70r] triumphus: Et omnium sanctorum tuorum quorum meritis precibusque concedas: ut in omnibus protectionis tue muniamur auxilio. per [eundem] xpm dnm nrm.

273

Hanc igitur oblationem seruitutis nostre. Sed et cuncte familie tue qs dne. ut placatus accipias. diesque nostros in tua pace disponas: atque ab eterna dampnatione nos eripi. et in electorum tuorum iubeas grege numerari: per xpm dnm nrm.

274

Quam oblationem tu deus in omnibus qs benedictam † ascriptam † ratam † rationabilem. acceptabilemque facere digneris. [70v] Ut nobis † corpus † et sanguis † fiat dilectissimi filii tui domini nri ihu xpi.

275

Qui pridie quam pateretur accepit panem in sanctas ac uenerabiles manus suas. [et] eleuatis oculis in celum ad te deum patrem suum omnipotentem: tibi gratias agens. Benedixit † Fregit. et dedit discipulis suis dicens: accipite [et manducate] et comedite ex hoc omnes: hoc est enim corpus meum.

276

Simili modo post(ea)quam cenatum est. accipiens et hunc preclarum calicem in sanctas ac uenerabiles manus suas: [et] item tibi gratias agens: benedixit † dedit [71r] discipulis suis dicens: accipite et bibite ex eo omnes: Hic est enim calix sanguinis mei. noui [et eterni] testamenti: misterium fidei: qui pro uobis et pro multis effundetur in remissionem peccatorum. Hec quotienscumque feceritis: in mei memoriam facietis .,.

277

Unde et memores domine nos tui serui: sed et plebs tua sancta eiusdem xpi filii tui dni nri: tam adorande natiuitatis: quam beate

273: MR, bis 277 = Fiala S. 211 (78–82).
274: – T 39
275: MR. Beachtenswert das *et comedite.*
276: MR; *ea* wegradiert.
277: MR; *memor es domine* auf Rasur (?), *adorande* bis *nec non* spätere Hand und teils über den Rand geschrieben und jetzt weggeschnitten.

p(assionis) nec no(n) et ab inferis resurrectionis. sed et in celis gloriose ascensionis offerimus preclare maiestati tue: de tuis donis ac datis. hostiam puram † hostiam sanctam † hostiam inmaculatam † panem † sanctum [71v] uite eterne: et calicem † salutis perpetue.

278

Supra que propitio ac sereno uultu respicere digneris. et accepta habere. sicuti accepta habere dignatus es. munera pueri tui iusti habel: et sacrificium partiarche nostri abrahe: et quod tibi optulit summus sacerdos tuus melchisedech: sanctum sacrificium immaculatam hostiam .,.

279

Supplices te rogamus omips ds iube hec perferri per manus sci angeli tui in sublime altare tuum in conspectu diuine maiestatis tue. ut quotquot ex hac altaris participatione sacrosanctum [72r] filii tui corpus et sanguinem sumpserimus: omni benedictione celesti et gratia repleamur: per eundem xpm dnm nrm .,.

280

Memento etiam dne famulorum famularum tuarum. ill. et ill: qui nos precesserunt cum signo fidei: et dormiunt in sompno pacis.

281

Ipsis et omnibus fidelibus defunctis locum refrigerii. lucis. et pacis: ut indulgeas deprecamur .,. per xpm dnm nrm.

282

Nobis quoque peccatoribus famulis tuis de multitu[72v]dine miserationum tuarum sperantibus partem aliquam et societatem donare digneris: cum tuis sanctis apostolis: et martiribus: cum Iohanne. et Stephano. Mathia. Barnaba. Ignatio. Alexandro. Marcellino. Petro. Felicitate. Perpetua. Agatha. Lucia. Agnete. Cecilia. Anastasia. Euphemia. Et cum omnibus sanctis tuis. intra quorum nos consortium, non estimator meriti: set uenie qs largitor admitte. per xm dominum nrm.

278: MR. **279:** MR Fiala S. 211 (83); ab fol. 72r auf Rasur (?).
280: MR; *Memento* Erstschrift, ab *etiam* bis *ill.* von späterer Hand auf Rasur, dann zwei Zeilen Rasur; *qui nos* bis *pacis* Erstschrift, dann zwei leere Zeilen (Rasur?). Über *famulorum* steht der Name *ursi.*
281: *Ipsis* bis *defunctis* spätere Hand auf Rasur, in der nächsten Zeile vor *locum* ist noch . . . *tibus* zu lesen.
282: MR Fiala S. 212 (85); statt *xpm: xm.*

283

Per quem hec omnia dne semper bona creas. sanctificas † uiuificas † benedicis † et prestas nobis. per † ipsum. et cum † ipso. et in † [73r] ipso. est tibi deo patri omnipotenti in unitate spiritus sancti omnis honor et gloria.

284

Per omnia secula seculorum. Amen.

285

Oremus. Preceptis salutaribus moniti et diuina institutione formati audemus dicere.

286

Pater noster qui es in celis. sanctificetur nomen tuum. adueniad regnum tuum: fiad uoluntas tua sicut in celo et in terra. Panem nostrum cotidianum da nobis hodie: et dimitte nobis debita nostra: sicut et nos dimittimus debitoribus [73v] nostris: Et ne nos inducas in temptationem: sed libera nos a malo.

287

Libera nos qs dne ab omnibus malis: preteritis: presentibus. et futuris: et intercedente pro nobis beata et gloriosa semperque uirgine dei genitrice Maria. Et beat(o Michahele archangelo tuo et sanct)is apostolis tuis Petro et Paulo. atque Andrea. (Iohanne atque Bartholomeo) cum omnibus sanctis. da propitius pacem in diebus nostris: ut ope misericordie tue adiuti: et a peccato simus liberi semper. et ab omni perturbatione securi. per [eundem] dnm nrm ihm xpm filium tuum qui tecum uiuit et regnat ds in unitate spiritus sancti. [74r] Per omnia secula seculorum. Amen.

288

Pax dni sit semper uobiscum. Et cum spiritu tuo.
Agnus dei qui tollis peccata mundi. miserere nobis. iij.

283: MR Fiala S. 212 (86). **284:** MR; neumiert bis *debitoribus* in Nr. 286.
285, 286: MR.
287: MR, Fiala S. 212 (88); *liberi semper* darübergeschrieben *b a* (gehört vertauscht), *et beat* Erstschrift, *is apostolis* spätere Hand auf Rasur, dann leere Zeile mit Rasur, *Petro et Paulo a* Erstschrift, dann spätere Hand *tque Andrea* und eine Zeile Rasur, *cum omnibus sanctis* wieder Erstschrift. Unsere Ergänzungen bringen die vermutete Erstschrift.
288: MR.

289

(ORATIO). Dne ihu xpe. fili dei uiui qui ex uoluntate patris cooperante sancto spiritu per mortem tuam mundum uiuificasti. libera me per hoc sacrum corpus et sanguinem tuum a cunctis iniquitatibus: et uniuersis malis. et fac me tuis obedire mandatis: et a te numquam in perpetuum separari. saluator.

290

ORATIO ANTEQUAM COMMUNICAUERIS. Effunde queso deus meis uisceribus spiritum sanctum tuum: qui ex te tuoque procedit filio. uas tibi efficiam placabile. in quo [74v] sancta trinitas: digneris habitare perhenniter .,. per.

291

ORATIO. Post communionem sacramentorum tuorum dne: fiad in me remissio peccatorum: et ubi pura et sancta ingressa sunt sacramenta: ibi penitus nulla remaneat culpa .,. Qui uiuis.

292

(ORATIO). Quod ore sumpsimus dne pura mente capiamus. et de munere temporali: fiad nobis remedium sempiternum .,. (per).

293

(ORATIO). Hec sacrosancta commixtio corporis et sanguinis dni nri ihu xpi. fiat omnibus sumentibus salus mentis et corporis: ad uitam capessendam eternam: preparatio salutaris. per eundem.

294

(ORATIO). Placeat tibi dne ds sancta trinitas obsequium seruitutis mee. et presta. ut hoc sacrificium quod oculis tue maiestatis indignus obtuli tibi sit acceptabile michique et omnibus pro quibus illud oblatum est sit te miserante propitiabile. per dnm. [75r]

295

ORATIO POSTQUAM COMMUNICAUERIS. Perceptio corporis et sanguinis tui dne ihu xpe. quam ego indignus sumere presumo: non michi perueniat in iudicium et condempnationem. sed pro tua pietate prosit michi at tutamentum mentis et corporis. qui uiuis.

289: MR B 90; Fiala S. 215 (106); mehrere Lücken durch Rasur, *mandatis*, *numquam* bis *saluator* spätere Hand (auf Rasur?).
290: –. **291:** – Fiala S. 216 (108). **292:** MR; von anderer Hand.
293: –; von anderer Hand.
294: MR; von später Hand am unteren Rand nachgetragen.
295: MR; von fol. 75r bis 76v ist eine andere Hand am Werk mit 19 Zeilen pro Seite (siehe Einleitung). Vermutlich Nachtrag auf ehedem freie Blätter.

XXII. MISSA IN SUFFRAGIA OMNIUM SANCTORUM

296

ORATIO. Concede qs omips ds. ut intercessio nos sancte dei genitricis marie. sanctorumque omnium apostolorum. martirum. confessorum. atque uirginum. et omnium electorum tuorum ubique letificet. ut dum eorum merita recolimus: patrocinia sentiamus. per.

297

ORATIO SECRETA. Oblatis qs dne placare muneribus. et intercedentibus omnibus sanctis tuis a cunctis nos defende periculis. per.

298

ORATIO POST COMMUNIONEM. Sumpsimus dne sancte marie et omnium sanctorum tuorum commemorationem facientes sacramenta celes[75v]tia. presta qs: ut quod temporaliter gerimus: eorum precibus adiuti eternis gaudiis consequamur. per.

XXIII. MISSA OMNIUM FIDELIUM

299

ORATIO. Fidelium deus omnium conditor et redemptor: animabus famulorum famularumque tuarum: remissionem cunctorum tribue peccatorum. ut indulgentiam quam semper optauerunt: piis supplicationibus consequantur. per.

300

ORATIO SECRETA. Hostias qs dne quas tibi pro animabus famulorum famularumque tuarum offerimus: propitiatus intende. ut quibus fidei christiane meritum contulisti: dones et premium. per.

301

ORATIO POST COMMUNIONEM. Animabus qs dne famulorum famularumque tuarum: oratio proficiat supplicantium. ut eas et a peccatis exuas: et tue redemptionis facias esse par[76r]ticipes. per.

296: L– V– Gr– F 1914.
297: L– V– Gr– F 1915.
298: L– V– Gr– F 1917.
299: L 1150 V 1671 Gr 937.
300: L– V 1673 Gr 938.
301: L– V 1675 Gr 939.

XXIV. MISSA COMMUNIS PRO OMNIBUS CHRISTIANIS

302

ORATIO. Omips sempiterne ds: qui uiuorum dominaris simul et mortuorum. omniumque misereris quos tuos fide et opere futuros esse prenoscis: te suppliciter exoramus: ut pro quibus effundere preces decreuimus. quosque uel presens adhuc seculum in carne retinet: uel futurum iam exutos corpore suscepit: pietatis tue clementia: delictorum suorum omnium ueniam et gaudia consequi mereantur eterna. per.

303

ORATIO SECRETA. Ds cui soli cognitus est numerus electorum in superna felicitate locandus. tribue queso: ut uniuersorum quos in oratione commendatos suscepi: uel omnium fidelium nomina beate predestinationis liber adscripta retineat. per.

304

ORATIO POST COMMUNIONEM. Purificent nos qs omips et miseri[76v]cors deus sacramenta que sumpsimus: et presta. ut hoc sacramentum: non sit nobis reatus ad penam: sed sit intercessio salutaris ad ueniam. sit ablutio scelerum. sit fortitudo fragilium. sit contra mundi pericula firmamentum. sit uiuorum atque mortuorum remissio omnium delictorum. per.

XXIVa. (APOLOGIA SACERDOTIS)

305

ORATIO Q(UANDO IN)DUIT SE SACERDOS SACRIS UESTIBUS. Rogo te dne ds sabaoth. altissime pater sancte. ut me tunicam castitatis digneris accingere: et meos lumbos balteos tuis timoris ambire. at(que) renes cordis mei tue caritatis igne urere. ut pro peccatis meis possim intercedere: et astantem populum ueniam promereri. ac pacificas singulorum hostias ministrare. me quoque tibi audaciter accedente: non sinas perire: sed dignaris me lauare: ornare. et leniter suscipere. (per).

302: L– V– Gr 902.
303: L– V– Gr 903.
304: L– V– Gr 904.
305: – M 888; Rubrik am Seitenrand.

XXV. (DOMINICA PRIMA DE ADUENTU DOMINI) [77r]

306

INTROITUS. Ad te leuaui animam meam deus meus in te confido non erubescam. Neque irrideant me inimici mei etenim uniuersi qui te expectant non confundentur. PS. Uias tuas dne.

307

ORATIO. Excita dne potentiam tuam et ueni: et quod ecclesie tue promisisti: usque in finem seculi clementer operare .,. per eundem. [qui uiuis].

308

LECTIO EPISTOLE BEATI PAULI APOSTOLI AD CORINTHIOS (I Cor 4, 1–5): Fratres. Sic nos existimet homo: ut ministros xpi . . . consilia cordium. Et tunc laus erit unicuique a deo. [77v]

309

GRADUALE. Uniuersi qui te expectant non confundentur dne. ℣. Uias tuas dne notas fac michi et semitas tuas edoce me. [78r]

310

ALLELUIA. ℣. Ostende nobis dne misericordiam tuam et salutare tuum da nobis.

311

SEQUENTIA SCI EUANGELII SECUNDUM LUCAM (Lc 21, 25–33): In illo tempore. Erunt signa in sole et luna et stellis . . . uerba autem mea. non transient .,. [78v]

312

OFFERTORIUM. Ad te dne leuaui animam meam deus meus in te confido [79r] non erubescam. Neque irrideant me inimici mei etenim uniuersi qui te expectant non confundentur.

313

ORATIO SECRETA. Sacrificium tibi dne oblatum placatus intende:

306: AMS 1a; hier beginnt wieder der Schreiber A. Es ist keine Lücke anzunehmen. Alle Gesänge sind nunmehr mit Neumen, außer wenn nur Initium.
307: L– V 1120 Gr 652 S 1358. **308**: CoP 403 cf. Dold, Lesetexte S. 296.
309: AMS 1a; erronee: *semimitas*. **310**: AMS 1a.
311: CoP 402 Dold, Lesetexte 296. **312**: AMS 1a. **313**: L– V 1129 Gr– S–.

quod et nos a uitiis nostre conditionis emundet: et tuo nomini reddat acceptos .,. per.

314

PREPHATIO. U+D usque eterne ds: Cui proprium est ueniam delictis impendere: quam penaliter imminere .,. Qui fabricam tui operis pereuntem: rursus dignatus es erigere: ne imago: que ad similitudinem tui facta fuerat: uiuens dissimilis haberetur .,. [79v] Ex morte munus ueniale indulgentie prestitisti: ut unde mortem peccatum contraxerat: inde uitam pietas reparet inmensa .,. Hec postquam prophetica sepe uox predixit: et gabrihel angelus marie iam presenti nuntiauit: mox puelle credentis in utero: fidelis uerbi mansit aspirata conceptio. et illa proles nascendi sub lege latuit: que cuncta suo nutu nasci concessit .,. Tumebat uirginis sinus. et fecunditatem suorum uiscerum: corpus mirabatur intactum .,. Grande mundo spondebatur auxilium femine partu sine uiro mysterium: quando nulli[80r]us macule nebula fuscata. tenso nutriebat uentre precordia: mox futura sui genitrix genitoris .,. Quem laudant angeli.

315

COMMUNIO. Dns dauit benignitatem et terra nostra dauit fructum suum.

316

ORATIO POST COMMUNIONEM. Anime nostre qs omips ds. hoc potianter desiderio: ut a tuo spiritu inflammentur: et sicut lampades diuino munere satiati. ante conspectum uenientis xpi filii tui: uelut clara lumina fulgeamus .,. per eundem.

XXVI. MISSA IN SANCTE LUCIE

317

ORATIO. Exaudi nos ds salutaris noster: ut sicut de beate lucie festiuitate gaudemus. [80v] ita pie deuotionis erudiamur effectu .,. per.

314: L– V– Gr– S 1419.
315: AMS 1b.
316: L– V 1134 Gr– S 1362.
317: L– V– Gr 631.

318

ORATIO SECRETA. Accepta tibi sit dne sacre plebis oblatio. pro tuorum honore sanctorum. quorum se meritis percepisse de tribulatione cognoscit auxilium .,. per.

319

ORATIO POST COMMUNIONEM. Satiasti dne familiam tuam muneribus sacris. eius qs semper interuentione nos refoue: cuius sollempnia celebramus .,. per.

XXVII. MISSA IN SANCTE THOME

320

ORATIO. Da nobis qs dne. beati apostoli tui thome: sollempnitatibus gloriari: ut eius semper et patrociniis subleuemur et fidem congrua deuotione sectemur .,. per.

321

ORATIO SECRETA. Deuitum dne nostre [81r] redemptionis reddimus seruitutis: suppliciter exorantes. ut suffragiis beati thome apostoli. in nobis tua munera tuearis cuius honoranda confessione laudis: tibi hostias immolamus .,. per.

322

ORATIO POST COMMUNIONEM. Adesto nobis misericors ds: ut interueniente pro nobis beato thoma apostolo tuo: tua circa nos propitiatus dona custodi .,. per.

XXVIII. UIGILIA NATALIS DOMINI

323

INTROITUS. Hodie scietis quia ueniet dns et saluabit nos et mane uidebitis gloriam eius. PS. Dni est terra.

318: L 735 V 1107 Gr 632. **319:** L 746 V– Gr 633.
320: L– V 1088 Gr– M 706.
321: cf. L 767 V 1089 Gr– M 707; *cuius honoran(da)* auf Rasur von anderer Hand.
322: –M 708; *(propitia)tus* auf Rasur von anderer Hand.
323: AMS 8 B *lac.*

324

ORATIO. Ds qui nos redemptionis nostre. [81v] annua expectatione letificas: presta: ut unigenitum tuum: quem redemptorem leti suscipimus: uenientem quoque iudicem: securi uideamus. ihm xpm filium tuum dnm nrm.

325

LECTIO EPISTOLE BEATI PAULI APOSTOLI AD ROMANOS (Rom 1, 1–6): Fratres: Paulus seruus xpi uocatus apostolus. segregatus in euangelio dei ... in quibus estis et uos uocati: ihu xpi dni nri .,. [82r]

326

GRADUALE. Hodie scietis quia ueniet dns et saluauit nos et mane uideuitis gloriam eius. ℣. Qui regis hisrahel intende qui deducis uelut ouem ioseph qui sedes super cherubim appare coram effrem beniamin et manasse.

327

ALLELUIA. ℣. [82v] Crastina erit nobis salus dicit dns ds exercituum.

328

SEQUENTIA SCI EUANGELII SECUNDUM MATHEUM (Mt 1, 18–21): In illo tempore. Cum esset disponsata mater ihu maria ioseph ... Ipse autem saluum faciet populum suum a peccatis eorum .,. [83r]

329

OFFERTORIUM. Tollite portas principes uestras et eleuamini porte eternales et introiuit rex glorie.

330

ORATIO SECRETA. Da nobis qs omips ds: ut sicut ad adoranda filii tui natalicia preuenimus: sic eius munera capiamus. sempiterna gaudentes .,. per. [83v]

324: L– V 1156 Gr 1 S 1 B *lac.* **325:** CoP 1 B *lac.* Dold, Lesetexte 297.
326, 327: AMS 8 B *lac.* **328:** CoP 3 B 1 Dold, Lesetexte 297.
329: AMS 8 B1. **330:** L– V 1 Gr 2 S 2 B 1.

331

PREPHATIO. U+D equum et salutare .,. Nos in confessione hodierna. ihu xpo. filio tuo dno nro preuenire: et cum uoce supplic[i] exorare .,. Ut semper uenture noctis uigiliarum suarum ita peruigiles reddat. ut sinceris mentibus. eius percipere mereamur natalem uenturum .,. In quo inuisibilis est substantia tua. per carnem uisibilis apparuit in nostra .,. Tecumque unus. non tempore genitus non natura inferior. ad nos uenit ex tempore natus: ihs xps dns nr. Quem laudant angeli.

332

COMMUNIO. Reuelabitur gloria dni et uidebit omnis ca[84r]ro salutare dei nostri.

333

ORATIO POST COMMUNIONEM. Da nobis dne qs: unigeniti tui filii: recensita natiuitate respirare. cuius celesti misterio pascimur et potamur .,. per eundem.

XXIX. MISSA IN NATALE DOMINI

334

INTROITUS. Puer natus est nobis et filius datus est nobis. Cuius imperium super humerum eius. Et uocabitur nomen eius. Magni consilii angelus. PS. Oia euouae.

335

ORATIO. Concede qs omips ds: ut nos unigeniti tui: noua per carnem natiuitas liberet. [84v] quos sub peccati iugo. uetusta seruitus tenet .,. per.

336

LECTIO EPISTOLE BEATI PAULI APOSTOLI AD EBREOS (Heb 1,1–12): Fratres. Multiphariam multisque modis. olim deus loquens ... Tu autem idem ipse es et anni tui non deficient .,. [85v]

331: L– V– Gr– S 25 B 1.
333: L– V 22 Gr 3 S 7 B 1.
335: L– V 6 Gr 17 B 2.
332: AMS 8 B 1; statt *com.* erronee *off.*
334: AMS 11a B 2 Ps.?
336: CoP 10 B 2 Dold, Lesetexte 297.

337

GRADUALE. Uiderunt omnes fines terre salutare dei nostri. iubilate deo omnis terra. ℣. Notum fecit dns salutare suum ante conspectu gentium reuelauit iustitiam suam. [86r]

338

ALLELUIA. ℣. Hodie natus est nobis dns gaudent omnes angeli in celo.

339

INITIUM SCI EUANGELII SECUNDUM IOHANNEM (Jo 1, 1–14): In principio erat uerbum ... unigeniti a patre plenum gratia et ueritate .,. [87r]

340

OFFERTORIUM. Tui sunt celi et tua est terra. orbem terrarum et plenitudinem eius tu fundasti iustitia et iudicium preparatio sedis tue.

341

ORATIO SECRETA. Oblata dne munera: noua unigeniti tui natiuitate sanctifica: nosque a peccatorum maculis emunda .,. per.

342

PREPHATIO. U+D usque eterne ds: Cuius diuine natiuitatis [87v] potentiam: ingenita uirtutis tue genuit magnitudo .,. Quem semper filium: et ante tempora eterna generatum: quia tibi plenum atque perfectum: eterni patris nomen non defuit predicamus .,. Qui inuisibilis ex substantia tua. uisibilis per carnem apparuit in nostra .,. Tecumque unus. non tempore genitus. non natura inferior: ad nos uenit ex tempore natus. ihs xps dns nr .,. Et honore maiestatis. atque uirtute: equalem tibi cum sancto spiritu confitemur .,. Et in trino uocabulo. unicam credimus maiestatem .,. Quia per incarnati uerbi tui misterium. noba mentis nostre [88r] oculis lux tue claritatis infulsit .,. Ut dum uisibiliter deum cognoscimus: per hunc inuisibilium amore rapiamur .,. Et ideo cum angelis.

337: AMS 11a B 4.
338: ? B–.
339: CoP 12 B 4 Dold, Lesetexte 297.
340: AMS 11b B 4.
341: L– V– Gr 18 B 4.
342: L– V 8 cf. Gr 6 B–.

343

COMMUNIO. Uiderunt omnes fines terre salutare dei nostri.

344

ORATIO POST COMMUNIONEM. Presta qs omips ds. ut natus hodie saluator mundi. sicut diuine nobis generationis est auctor. ita et inmortalitatis sit ipse largitor .,. ihs xps dns nr.

XXX. MISSA IN SANCTI STEPHANI

345

INTROITUS. Etenim sederunt principes et aduersus me loquebantur et iniqui persecuti sunt me. adiuua me dne [88v] deus meus quia seruus tuus exercebatur in tuis iustificationibus. PS. Oia euouae.

346

ORATIO. Omips sempiterne ds: qui primitias martirum: in beati leuite stephani sanguine dedicasti. tribue qs: ut ipse pro nobis intercessor existat: qui pro suis etiam persecutoribus exorauit .,. per.

347

LECTIO ACTUUM APOSTOLORUM (Act 6,8–10; 7,54–60): In diebus illis. Stephanus autem plenus gratia et fortitudine ... Et cum hoc dixisset obdormiuit in dno .,. [89v]

348

GRADUALE. Sederunt principes et aduersus me loquebantur et iniqui persecuti sunt me. ℣. Adiuua me dne deus meus saluum me fac propter misericor[90r]diam tuam.

349

ALLELUIA. ℣. Uideo celos apertos et ihm stantem a dextris uirtutis dei.

343: AMS 11b B 4.
344: L– V 18 Gr 19 B 4.
345: AMS 12 B 5.
346: L 671 V 30 Gr 32 S 42 B–.
347: CoP 13 B 5 Dold, Lesetexte 297.
348, 349: AMS 12 B 5.

350

SEQUENTIA SCI EUANGELII SECUNDUM MATHEUM (Mt 23,34–39): In illo tempore. Ecce [ego] mitto ad uos prophetas et sapientes … benedictus qui uenit in nomine dni .,. [91r]

351

OFFERTORIUM. Elegerunt apostoli stephanum leuitam plenum fide et spiritu sancto quem lapidauerunt iudei orantem et dicentem dne ihu accipe spiritum meum alleluia.

352

ORATIO SECRETA. Grata tibi si[n]t dne munera qs: deuotionis hodierne: que beati stephani martiris tui: commemoratio gloriosa deprimit .,. per.

353

PREPHATIO. U+D usque eterne ds. beati stephani leuite simul et martiris: natalicia [91v] recolentes .,. Qui fidei et sacre militie: qui dispensationis et castitatis egregie. qui predicationis mirabilisque constantie. qui confessionis ac potentie nobis exempla ueneranda proposuit .,. Qui pretiose mortis conmercio. uitam perpetuam recepturus: ante omnes celorum regnum uim faciens: celestis patrie triumphum. martirio coronatus inchoauit .,. Et ideo natiuitatem filii tui: merito pre ceteris. passionis sue festiuitate prosequitur cuius glorie sempiterne: primus martir occurrit .,. Et ideo cum angelis.

354

COMMUNIO. Uideo celos apertos et ihm stantem [92r] a dextris uirtutis dei dne ihu accipe spiritum meum et ne statuas illis hoc peccatum quia nesciunt quid faciunt.

355

ORATIO POST COMMUNIONEM. Auxilientur nobis dne sumpta misteria. et intercedente beato stephano leuita et martire tuo: sempiterna protectione confirment .,. per.

350: CoP 14 B 5 Dold, Lesetexte 297. **351:** AMS 148 bis B 5.
352: L 700 V 33 Gr– S 43 B–; zwischen *commemoratio* und *gloriosa* leerer Platz (Rasur?).
353: L 694 V– Gr– S 44 B–. **354:** AMS 12 B 5.
355: L– V 1241 Gr 41 S 45 B–.

XXXI. MISSA IN SANCTI IOHANNIS APOSTOLI ET EUANGELISTE

356

INTROITUS. In medio ecclesie aperuit os eius et impleuit eum dns spiritu sapientie et intellectus stolam glorie induit eum. PS. Bonum est confiteri.

357

ORATIO. Deus qui per os beati apostoli tui [92v] iohannis: et euangeliste: uerbi tui nobis archana reserasti: presta qs: ut quod ille nostris auribus excellenter infudit: intellegentie competentis eruditio[ne] capiamus .,. per.

358

LECTIO LIBRI SAPIENTIE (Eccli 15, 1–6): Qui timet deum faciet bona . . . et nomine eterno hereditauit illum dns ds nr .,. [93r]

359

GRADUALE. Exiit sermo inter fratres quod discipulus ille non moreretur. ℣. Set sic eum uolo manere donec ueniam tu me sequere.

360

ALLELUIA. ℣. Hic [93v] est discipulus ille qui testimonium perhibet dei set scimus quia uerum est testimonium eius.

361

SEQUENTIA SCI EUANGELII SECUNDUM IOHANNEM (Jo 21, 19–24): In illo tempore: Dixit ihs petro. sequere me. Conuersus petrus . . . et scimus quia uerum est testimonium eius .,. [94r]

362

OFFERTORIUM. Iustus ut palma florebit sicut cedrus que in libano est multiplicabitur.

363

ORATIO SECRETA. Suscipe dne munera: que in eius tibi sollempnitate deferimus: cuius nos scimus patrocinio liberari .,. per.

356: Gesänge AMS 14 B 7. **357:** L 1274 V 35 Gr– S 50 B–.
358: CoP– B 7 Dold, Lesetexte 298. **361:** CoP 17 B 7 Dold, Lesetexte 298.
363: L– V– Gr 35 S 52 B 7.

364

PREPHATIO. U + D usque eterne ds. beati apostoli [94v] tui et euangeliste iohannis: ueneranda natalicia recolentes: qui filii tui dni nri ihu xpi uocatione suscepta: terrenum respuit patrem: ut possit habere celestem .,. Adeptus in regno celorum: sedem apostolici culminis: qui tantum retia carnalia contempserat genitoris .,. Quique ab unigenito tuo: sic familiariter dilectus: et inmense gratie muneribus adprobatus: ut eum idem dns in cruce positus: uicarium sue matri uirgini filium subrogaret .,. Quatenus beate genitricis integritate probata dilectionis uirginitas uirgini [95r] deseruiret .,. Nam et in cene mistice sacrosancto conuiuio: super ipsum uite fontem: eternum pectus scilicet recubuerat saluatoris .,. De quo perhenniter manantia: celestis auriens fluenta doctrine. tam profundis inmense gratie: reuelationibus est inspiratus: ut omnem transgrediens creaturam .,. Ipsam uerbi tui sine initio deitatem: et excelsa mente conspiceret: et euangelica uoce proferret: in principio erat uerbum: et uerbum erat apud deum: et deus erat uerbum .,. Et ideo cum angelis.

365

COMMUNIO. Exiit sermo inter fratres quod discipulus ille non moreretur et non dixit [95v] ihs non moritur set sic eum uolo manere donec ueniam.

366

ORATIO POST COMMUNIONEM. Refecti ciuo potuque celesti deus nr: te supplices exoramus: ut in cuius hec commemoratione percepimus. eius muniamur et precibus .,. per.

XXXII. MISSA INNOCENTORUM

367

INTROITUS. Ex ore infantium deus et lactantium perfecisti laudem propter inimicos tuos. PS. Dne dns nr.

364: cf. L 1276 V– Gr– S 53 B–; *sue matri uirginis: s* ist ausradiert.
366: L 724 V– Gr 36 S 54 B 7. **367:** AMS 15 B–.

368

ORATIO. Deus cuius hodierna die preconium innocentes martires: non loquendo set moriendo confessi sunt: omnia in nobis uitiorum [96r] mala mortifica. ut fidem tuam quam lingua nostra loquitur: etiam moribus uita fateatur .,.

369

LECTIO LIBRI APOCALIPSIS IOHANNIS APOSTOLI (Apo 14, 1–5): In diebus illis. Uidi super montem syon agnum stantem ... sine macula sunt ante thronum dei .,. [96v]

370

GRADUALE. Anima nostra sicut passer erepta est de laqueo uenantium. ℣. Laqueus contritus est et nos libera[97r]ti sumus adiutorium nostrum in nomine dni qui fecit celum et terram.

371

SEQUENTIA SCI EUANGELII SECUNDUM MATHEUM (Mt 2, 13–18): In illo tempore. Ecce angelus dni apparuit in sompnis ioseph ... et noluit consolari quia non sunt .,. [97v]

372

OFFERTORIUM. Anima nostra sicut passer erepta est de laqueo uenan[98r]tium. laqueus contritus est et nos liberati sumus.

373

ORATIO SECRETA. Adesto dne muneribus innocentum. festiuitatem sacrandis. et presta qs. ut eorum sinceritatem possimus imitari. quorum dicata ueneratur infantia .,. (per).

374

COMMUNIO. Uox in rama audita est ploratus et ululatus rachel plorans filios suos noluit consolari quia non sunt.

375

ORATIO POST COMMUNIONEM. Uotiua dne dona percepimus: per quem sanctorum nobis precibus: et presentis uite qs pariter: et eterne tribue [98v] conferre subsidium .,. per.

368: L– V 42 Gr 42 B 8.
369: CoP 18 B 8.
370: AMS 15 B 8.
371: cf. CoP 19 B 8.
372: AMS 15 B 8.
373: L 1290 V 45 Gr– B–.
374: AMS 15 B 8.
375: L– V– Gr 44 B–.

376

INTROITUS. Ecce aduenit dominator dns et regnum in manu eius et potestas et imperium. PS. Oia euouae.

377

ORATIO. Ds qui hodierna die unigenitum tuum: gentibus stella duce reuelasti: concede propitius: ut qui iam te ex fide cognouimus: usque ad contemplandam speciem. tue celsitudinis perducamur .,. per.

378

LECTIO HESAYE PROPHETE (Is 60, 1–6): Surge illuminare hierusalem . . . aurum et thus deferentes: et laudem dno annuntiantes .,. [99v]

379

GRADUALE. Omnes de saba uenient aurum et thus deferentes et laudem dno annuntiantes. ℣. Surge illuminare hierusalem quia gloria dni super te orta est.

380

ALLELUIA. ℣. Uidimus stellam eius in oriente et uenimus cum muneribus adorare dnm. [100r]

381

SEQUENTIA SCI EUANGELII SECUNDUM MATHEUM (Mt 2, 1–12): In illo tempore. Cum natus esset ihs in bethleem iude . . . per aliam uiam reuersi sunt in regionem suam .,. [101r]

382

OFFERTORIUM. Reges tharsis et insule munera offerunt reges arabum et saba. dona adducent et adorabunt eum omnes reges [101v] terre omnes gentes seruient ei.

383

ORATIO SECRETA. Ecclesiam tuam qs dne propitius intuere: cui

376: AMS 18 B 13. **377:** L– V– Gr 54 S 95 B 13.
378: CoP 29 B 13 Dold, Lesetexte 298. **379:** AMS 18 B 13.
380: AMS 18 B 13. **381:** CoP 30 B 13. Dold, Lesetexte 298.
382: AMS 18 B 13.
383: L– V– Gr– S 97 B 13; *cui* auf Rasur, es hieß zuerst *cuius*.

iam non aurum: thus et mirra defertur: set isdem muneribus declaratur: immolatur et sumitur .,. per.

384

PREPHATIO. U+D equum et salutare .,. Nos te laudare omips ds: qui notam fecisti in populis misericordiam tuam. et salutare tuum cunctis gentibus declarasti .,. Hodiernum eligens diem. in qua ad adorandam ueri regis infantiam: excitatos de remotis partibus magos clarior ceteris sideribus stella perduceret .,. Et celi ac ter[102r]re dnm: corporaliter natum: radio sue lucis ostenderet .,. Et ideo cum angelis.

385

COMMUNIO. Uidimus stellam eius in oriente et uenimus cum muneribus adorare dnm.

386

ORATIO POST COMMUNIONEM. Presta qs omips ds: ut quod sollempni celebramus officio. purificate mentis intellegentia consequamur .,. per eundem.

XXXIV. IPOPANTI ET PURIFICATIO SANCTE MARIE

387

INTROITUS. Suscepimus ds misericordiam tuam in medio templi tui secundum nomen tuum deus ita et laus tua in fines terre iustitia plena est dextera tua. PS. Magnus dns.

388

ORATIO. [102v] Omips sempiterne ds: maiestatem tuam supplices exoramus: ut sicut unigenitus tuus filius. hodierna die cum nostre carnis substantia: in templo est presentatus. ita nos facias purificatis tibi mentibus presentari .,. per eundem.

389

LECTIO HESAIE PROPHETE (Is 9,2.6–7): Hec dicit dns. populus gentium qui ambulabat in tenebris ... in iudicio et iustitia: a modo et usque in sempiternum .,. [103r]

384: L– V– Gr– S 98 B–.
385: AMS 18 B 13.
386: L– V– Gr 58 S 100 B 13.
387: AMS 29b B 28.
388: L– V– Gr 91 B 28.
389: CoP– B– Dold, Lesetexte 300.

390

GRADUALE. Suscepimus ds misericordiam tuam in medio templi tui secundum nomen tuum dne ita et laus tua in fines terre. ℣. Sicut audiuimus ita et uidimus in ciuitate dei [103v] nostri in monte sancto eius.

391

ALLELUIA. ℣. Senex puerum portabat. puer autem senem regebat.

392

SEQUENTIA SCI EUANGELLI SECUNDUM LUCAM (Lc 2,22–32): In illo tempore. Postquam impleti sunt dies purgationis marie ... et gloriam plebis tue israhel .,. [104v]

393

OFFERTORIUM. Diffusa est gratia in labiis tuis propterea benedixit te deus in eternum et in seculum seculi.

394

SECRETA ORATIO. Exaudi dne preces nostras: et ut digna sint munera que oculis tue maiestatis offerimus: subsidium nobis tue [105r] pietatis impende .,. per.

395

PREPHATIO. U +D usque per xpm dnm nrm .,. Qui ut nos de graui seruitutis lege eximeret: circumcisionis: non dedignatur purgationem accipere .,. In quo obseruationis antique probator existeret; idem lator legis et custos: diues in suo: pauper in xpo .,. Celi terreque possessor et dns: grandeui symeonis: inualidis gestatur in ulnis .,. Accedit etiam testificantis oraculum uidue. decebat enim: ut ab utroque sexu annuntiaretur: utriusque saluator .,. Quem laudant angeli. [105v]

396

COMMUNIO. Responsum accepit simeon ab spiritu sancto non se morteri(!) nisi uideret xpm dni.

390: AMS 29b B 28.
391: MR B 28.
392: CoP 60 B 28.
393: AMS 29b B 28.
394: L 160 V– Gr 92 B 28.
395: L– V– Gr– cf. F 197 AmB 184 B 28.
396: AMS 29b B 28.

397

ORATIO POST COMMUNIONEM. Qs dne ds nr: ut sacrosancta mysteria. que pro reparationis nostre munimine contulisti: intercedente beata et gloriosa semperque uirgine maria. et presens nobis remedium esse facias: et futurum .,. per eundem.

XXXV. MISSA IN SANCTE AGATHE

398

ORATIO. Indulgentiam nobis dne qs. beate agathes martir: imploret. que tibi grata semper extitit: et merito castitatis. et tue propitiatione uirtutis .,. per.

399

ORATIO SECRETA. Suscipe munera dne: [106r] que in beate agathe martiris tue sollempnitate deferimus. cuius nos scimus patrocinio liberari .,. per.

400

ORATIO POST COMMUNIONEM. Beate agathe martiris tue dne: precibus confidentes: qs clementiam tuam. ut per ea que sumpsimus: eterna remedia capiamus .,. (per).

XXXVI. MISSA IN SANCTE SCOLASTICE

401

ORATIO. Familiam tuam qs dne. beate uirginis tue scolastice. meritis: propitius respice. ut sicut ad ipsius preces. ad optinendum quod cupit imbrem celitus descendere fecisti: ita eiusdem supplicationibus: ariditatem nostri cordis: superne digne[106v]ris gratie rore perfundere .,. per.

397: L– V– Gr 93 B 28.
398: L– V 832 Gr– S 189 B–.
399: L– V– Gr 96 S– B 29.
400: L– V– Gr 100 S– B 29.
401: L– V– Gr– F 208 B 30.

402

ORATIO SECRETA. Suscipe qs dne [in] honore sacre uirginis tue scolastice munus oblatum: et quod nostris assequi meritis non ualemus: eiusdem suffragantibus meritis: largire propitius .,. per.

403

ORATIO POST COMMUNIONEM. Quos celesti refectione satiasti: beate qs scolastice uirginis tue meritis: a cunctis exime propitiatus aduersis .,. per.

XXXVII. MISSA IN SANCTI GREGORII

404

ORATIO. Ds qui frumenta tui eloquii: beatum pontificem tuum gregorium: esurientibus populis dispertire fecisti: concede tuis famulis toto mentis affectu ser[107r]uare quod docuit: ut illuc quoque eodem aput te optinente mereamur subsequi quo peruenit .,. (per).

405

ORATIO SECRETA. Hostias dne quas nomini tuo sacrandas offerimus: sancti gregorii prosequatur oratio: per quas nos et expiari facias et defendi .,. per.

406

ORATIO POST COMMUNIONEM. Prestent nobis qs dne tua sancta presidia: que interuenientibus beati gregorii meritis: ab omnibus nos absolbant peccatis .,. per.

402: L– V– Gr– F 210 B 30.
403: L– V– Gr– F 211 B 30.
404: L– V– Gr– S 224 B 33.
405: cf. L 368 V– Gr– S 225 B 33.
406: L– V– Gr– S 227 B–.

407

INTROITUS. Uir dei benedictus mundi gloriam despexit et reliquid quoniam dei spiritus erat in eo. PS. Memento dne. [107v]

408

ORATIO. Omips sempiterne ds: qui hodierna luce carnis educto ergastulo: beatissimum confessorem tuum benedictum: subleuasti ad celum: concede qs: hec festa tuis famulis celebrantibus cunctorum ueniam delictorum: ut qui exultantibus animis eius claritati congaudent. ipso apud te interueniente: consocientur et meritis .,. per.

409

LECTIO EPISTOLE BEATI PAULI APOSTOLI AD TIMOTHEUM (II Tim 3, 16–4, 8): Fratres: Omnis scriptura a deo diuinitus inspirata utilis est . . . sed et his qui diligunt aduentum eius .,. [108v]

410

GRADUALE. Repletus sancto spiritu beatus benedictus inter multa miracula que fecerat suscitauit puerum. ℣. Illusione regis cognoscens [109r] ei postmodum uentura predixit.

411

SEQUENTIA SCI EUANGELII SECUNDUM LUCAM (Lc 11, 33–36): In illo tempore. Nemo accendit lucernam et in abscondito ponit ... et sicut lucerna fulgoris illuminabit te .,. [109v]

412

OFFERTORIUM. In tempestas noctis hora uidit sanctus benedictus fusam desuper lucem cunctas noctis tenebras effugasse.

413

ORATIO SECRETA. Oblatis dne ob honorem beati confessoris tui benedicti: placare muneribus: et ipsius tuis famulis interuentu. cunctorum tribue indulgentiam peccatorum .,. per.

407: ? B–.
408: L– V– Gr– F 252 B 35.
409: CoP– B 35.
410: ? B–.
411: CoP– B 35 Dold, Lesetexte 301.
412: ? B–.
413: L– V– Gr– F 252 B 35.

414

COMMUNIO. Hodie dilectus dni benedic[110r]tus celum ascendens in gloria ab angelis susceptus est.

415

ORATIO POST COMMUNIONEM. Perceptis tui corporis et sanguinis dne sacramentis: concede nobis supplicante beato benedicto confessore tuo: ita muniri: ut et temporalibus habundemus commodis: et fulciamur eternis .,. per.

XXXIX. ANNUNTIATIO SANCTE MARIE

416

INTROITUS. Ingressus ad mariam angelus salutauit eam et dixit aue gratia plena dns tecum. PS. Eructauit cor.

417

ORATIO. Exaudi nos dne sce pater omips eterne ds: et qui per beate marie sacri uteri diuine gratie obumbratione: uni[110v]-uersum mundum illuminare dignatus es: maiestatem tuam supplices exoramus: ut quod nostris meritis non ualemus optinere: eius adipisci presidiis mereamur .,. per eundem.

418

LECTIO HESAIE PROPHETE (Is 7, 10–15): In diebus illis. Locutus est dns ad achaz dicens: pete tibi signum a dno . . . ut sciat reprobare malum: et eligere bonum .,. [111r]

419

TRACTUS. Aue marie gratia plena dns tecum. Benedicta tu inter mulieres. Et benedictus fructus uentris tui.

420

SEQUENTIA SCI EUANGELII SECUNDUM LUCAM (Lc 1, 26–38): In illo tempore. Missus est angelus gabrihel a deo . . . ecce ancilla dni: fiad michi secundum uerbum tuum .,. [112v]

414: ? B–.
415: L– V– Gr– F 255 B 35.
416: ? B–.
417: L– V 847 Gr– F 678 B 36.
418: CoP 537 B– Dold, Lesetexte 301.
419: MR (als Off.) B 36.
420: cf. CoP 538 B 36 Dold, Lesetexte 301.

421

OFFERTORIUM. Aue maria gratia plena. dns tecum. benedicta tu in mulieribus et benedictus fructus uentris tui.

422

SECRETA ORATIO. Altari tuo dne superposita munera: spiritus sanctus benignus assumat. qui hodie beate marie uiscera. splendoris sue uirtutis repleuit .,. [per.] qui tecum.

423

PREPHATIO. U+D usque eterne ds. Qui nos mirabile misterium: et inenarrabile sacramentum: per uenerabilem [113r] mariam seruare docuisti .,. In qua manet intacta castitas. pudor integer. firma constantia .,. Nam et in hoc se matrem dni fuisse cognouit: quia plus gaudii contulit quam pudoris .,. Letatur quod uirgo concepit: et post partum uirgo permansit .,. O magna clementia deitatis: que uirum non cognouit et mater est: et post filium uirgo est .,. Duobus enim gauisa est muneribus: miratur quod peperit: et letatur quod edidit redemptorem dnm nrm. Quem laudant angeli.

424

COMMUNIO. Ecce uirgo concipiet et [113v] pariet filium et uocabitur nomen eius hemmanuel.

425

ORATIO POST COMMUNIONEM. Adesto dne populo tuo: ut que sumpsit fideliter: et mente sibi et corpore: beate marie semper uirginis intercessione custodiat .,. per eundem.

421: AMS 33b B 36.
422: L– V– Gr– S 679 B 36.
423: L– V– Gr– S 681 B–.
424: AMS 33b B–; erronee: *concipiest*.
425: L– V– Gr– S 682 B 36.

426

INTROITUS. Dne ne longe facias auxilium tuum a me ad defensionem meam aspice libera me de ore leonis et a cornibus unicornuorum humilitatem meam. PS. Ds ds meus respice.

427

ORATIO. [114r] Omips sempiterne ds. qui humano generi ad imitandum humilitatis exemplum: saluatorem nostrum carnem sumere: et crucem subire fecisti: concede propitius: ut et patientie ipsius habere documenta: et resurrectionis [eius] consortia mereamur .,. per eundem.

428

LECTIO EPISTOLE BEATI PAULI APOSTOLI AD PHILIPPENSES (Phil 2, 5–11): Fratres: Hoc enim sentite in uobis: quod et in xpo ihu ... Et omnis lingua confiteatur: quia dns ihs xps in gloria est dei patris .,. [114v]

429

TRACTUS. Ds ds meus respice in me quare me dereliquisti. longe a salute mea. [115r] Uerba delictorum meorum. deus meus clamabo per diem. nec exaudies in nocte et non ad insipientia michi.

430

SEQUENTIA SCI EUANGELII SECUNDUM IOHANNEM (Jo 12, 1–9): In illo tempore. Ante sex dies pasche: uenit ihs uethania . . . set et ut lazarum uiderent: quem suscitauit a mortuis .,. [116r]

431

OFFERTORIUM. Improperium expectauit cor meum et miseriam exsustinuit qui simul contristaretur. et non fuit consolantem me quesiui et non inueni et dederunt in escam meam fel et in siti mea potauerunt me aceto.

432

ORATIO SECRETA. Concede nobis qs dne ut oculi tue maiestatis

426: AMS 73a B *lac.*
427: L– V– Gr 241 B *lac.*
428: CoP 159 B *lac.*
429: AMS 73b B *lac.*
430: CoP– B *lac.*
431: AMS 73b B *lac.*
432: L– V– Gr 242 B *lac.*

[per] munus [116v] oblatum: et gratiam nobis deuotionis optineant: et effectum beate perhennitatis adquira[n]t .,. per.

433

PREPHATIO. U+D usque per xpm dnm nrm .,. Qui se optulit in oratione immolari pro nobis: dum ad passionem crucis perueniret .,. Sedens super pullum asine subiugalis: tipum ecclesie demonstrauit: et populum nouellum de gentibus aduocabit .,. Cum etiam multitudo hebreorum corde conpuncti: exierunt obuiam dno saluatori: sternentes uestimenta sua in uia. Alii autem ramos de arboribus incedentes: clamabant uoce [117r] magna dicentes: osanna in excelsis: osanna in altissimis .,. benedictus qui uenit in nomine dni .,. Qui dignatus est pati pro nobis: suspensus in arborem crucis: qui calcauit capud magni draconis. quia ipse est dns ds nr .,. Quem laudant angeli.

434

COMMUNIO. Pater si non potest hic calix transire nisi bibam illum fiad uoluntas tua.

435

ORATIO POST COMMUNIONEM. Per huius dne operationem misterii: et uitia nostra purgentur: et iusta desideria compleantur .,. per.

XLI. MISSA IN CENA DOMINI

436

INTROITUS. Nobis autem gloriari oportet in [117v] cruce dni nri ihu xpi in quo est salus uita et resurrectio nostra per quem saluati et liberati sumus. PS. Deus miser(eatur).

437

ORATIO. Ds a quo et iudas reatus sui penam: et confessionis sue latro: premium sumpsit: concede nobis tue propitiationis effectum: ut sicut in passione sua. ihs xps dns nr. diuersa utriusque intulit stipendia meritorum. ita nobis ablato uetustatis errore: resurrectionis sue gratiam largiatur .,. per eundem.

433: – B *lac.; incedentes* corr. *incidentes.*
434: AMS 73b B *lac.*
435: L– V– Gr 243 B *lac.*
436: AMS 77a B 84 Ps. AMS 75.
437: L– V 396 Gr 257 B 84.

438

LECTIO EPISTOLE BEATI PAULI APOSTOLI AD CORINTHIOS (I Cor 11, 20–32): Fratres. Conuenientibus uobis in unum iam non est ... a dno corripimur. ut non cum hoc mundo dampnemur .,. [119r]

439

GRADUALE. Xps factus est pro nobis obediens usque ad mortem mortem autem crucis. ℣. Propter quod et ds exaltauit illum et dedit illi nomen quod est super omne nomen.

440

TRACTUS. Dne exaudi orationem meam et clamor meus ad te ueniat. Tu exurgens dne misereueris [119v] sion quia uenit tempus miserendi eius.

441

SEQUENTIA SCI EUANGELII SECUNDUM IOHANNEM (Jo 16,32–17, 26): In illo tempore. Ecce uenit hora. et iam uenit ut dispergamini ... ut dilectio qua dilexisti me. in ipsis sit. et ego in ipsis .,. [122r]

442

OFFERTORIUM. Dextera dni fecit uirtutem dextera dni exaltauit me non moriar sed uiuam et narrabo opera dni.

443

SECRETA ORATIO. Ipse tibi qs dne sancte pater omips eterne ds: sacrificium nostrum reddat acceptum: qui discipu[122v]lis suis in sui commemorationem hoc fieri: hodierna die monstrauit .,. per eundem.

444

PREPHATIO. U +D usque per xpm dnm nrm .,. Quem in hac nocte. inter sacras epulas increpantem. mens sibi conscia traditoris ferre non potuit: sed apostolorum derelicto consortio: sanguinis pretium a iudeis accepit: ut uitam perderet quam distraxit .,. Cenauit igitur hodie proditor mortem suam. et cruentis manibus. panem de manu saluatoris exiturus accepit .,. Ut saginatum ciuum maior pena constringeret: quam nec sacrati ciui collatio: ab scelere reuocaret .,. [123r] Patitur dns nr ihs xps filius tuus. cum hoste

438: CoP 169 B 84 Dold, Lesetexte 302. **439:** AMS 77a B 84.
440: AMS 78a (als Grad.) B (ad. lib.). **441:** CoP– B 84.
442: AMS 77b B 84. **443:** L– V– Gr 258 B 84.
444: L– V 392 Gr– B–; *ciui collatio* corr. *ciuo collatio*.

nobissimum participare conuiuium. a quo se nouerat. traditurum: ut exemplum innocentie mundo relinqueret: et passionem suam pro seculi redemptionem suppleret .,. Pascit igitur mitis deus barbarum iudam: et sustinet in mensa crudelem conuiuam: donec se suo laqueo perderet: qui de magistri sanguine cogitarat .,. O dnm per omnia patientem .,. O agnum inter suas epulas mitem .,. Adhuc cibum eius [iudas] in ore ferebat: et ad lanianda membra eius: iudeos carnifices aduocabat .,. Sed filius tuus dns nr. tamquam [123v] piam hostiam: et immolari se tibi pro nobis patienter permisit: et peccatum quod mundus commiserat relaxauit .,. Per ipsum te dne suppliciter deprecamur. Quem laudant angeli.

445

COMMUNIO. Hoc corpus quod pro uobis tradetur hic calix noui testamenti est in meo sanguine dicit dns hoc facite quotienscumque sumitis in meam commemorationem.

446

ORATIO POST COMMUNIONEM. Repleti spiritalibus alimentis. qs dne ds nr: ut que tempore nostre mortalitatis exequimur. [(m)ortalitatis tue] munere consequamur .,. per dnm.

XLII. DOMINICA SANCTUM PASCHA

447

INTROITUS. [124r] Resurrexi et adhuc tecum sum alleluia. Posuisti super me manum tuam alleluia. Mirabilis facta est scientia tua alleluia alleluia. PS. Dne probasti me.

448

ORATIO. Ds qui hodierna die. per unigenitum tuum. eternitatis nobis aditum: deuicta morte reserasti: uota nostra que preueniendo aspiras. etiam adiuuando prosequere .,. per eundem.

445: AMS 67b B 84.
446: L– V– cf. Gr 267 B 84.
447: AMS 80 B 91.
448: L– V– Gr 301 B 91.

449

LECTIO EPISTOLE BEATI PAULI APOSTOLI AD CORINTHIOS (I Cor 5, 7–8): Fratres: Expurgate uetus fermentum . . . in azimis sinceritatis: et ueritatis .,. [124v]

450

GRADUALE. Hec dies quam fecit dns exultemus et letemur in ea. ℣. Confitemini dno quoniam bonus quoniam in seculum misericordia eius.

451

ALLELUIA. ℣. [125r] Resurrexit tamquam dormiens dns quasi potens crapulatus a uino.

452

LECTIO(!) SCI EUANGELII SECUNDUM MARCUM (Mc 16, 1–7): In illo tempore. Maria magdalena: et maria iacobi et salome . . uidebitis sicut dixit uobis .,. [125v]

453

OFFERTORIUM. Ab increpatione et ira furoris dni. Terra tremuit et quieuit dum resurgeret in iudicio ds. alle[126r]luia.

454

ORATIO SECRETA. Suscipe qs dne preces populi tui cum oblationibus hostiarum. ut paschalibus initiata misteriis: ad eternitatem nobis medellam: te operante proficiant .,. per eundem.

455

PREPHATIO. U + D equum et salutare. Te quidem omni tempore: sed in hac precipua die laudare. benedicere: et predicare: cum pascha nostrum immolatus est xps .,. Per quem in eternam uitam: filii lucis oriuntur: fidelibus regni celestis atria reserantur: et beati lege commercii: diuinis humana mutantur .,. Quia nostrorum omnium mors: cruce xpi (126v] perempta est: et in resurrectione xpi: omnium uita resurrexit .,. Quem in susceptio[ne]

449: CoP 186 B 91; in codice: Epistola beati pauli; Dold, Lesetexte 303.
450: AMS 80 B 91.
451: ? B–; ℣. ist auf der recto- und verso-Seite geschrieben.
452: CoP 187 B 91; Dold, Lesetexte 303. **453:** ? B–.
454: L– V 456 Gr 302 B 91; *eternitatem* superscriptum *eternitatis*.
455: L– V 458 Gr– B 91.

mortalitatis: deum maiestatis agnoscimus. et diuinitatis gloria: deum et hominem confitemur .,. Qui non uult habere quod perimat: sed cupit inuenire quod redimat: mortem nostram moriendo destruxit: et uitam resurgendo restituit: ihs xps dns nr: quem laudant angeli.

456

COMMUNIO. Pascha nostrum immolatus est xps alleluia. itaque epulemur in azimis sinceritatis et ueritatis. alleluia alleluia [127r] alleluia.

457

ORATIO POST COMMUNIONEM. Spiritum in nobis dne: tue caritatis. infunde: ut quos sacramentis paschalibus satiasti tua facias pietate concordes .,. per.

XLIII. MISSA IN SANCTI GEORGII

458

ORATIO. Tuus nos sanctus martir georgius: qs dne ubique letificet: ut dum eius merita in presenti festiuitate recolimus: patrocinia in augmentum uirtutum sentiamus .,. per.

459

ORATIO SECRETA. Tanto placabiles qs dne nostre sint hostie: quanto sancti martiris tui georgii: pro cuius sollempnitate exibentur: tibi grata sunt merita .,. per.

460

ORATIO POST COMMUNIONEM. [127v] Beati georgii martiris tui dne: suffragiis exoratus: percepta sacramenti tui nos uirtute defende .,. per.

456: AMS 80 B 91. **457:** cf. L 1049 V– Gr 302 B 91; *ut quos sacramenti* und *satiasti tua* andereHand(?).
458: L– V– Gr– S 710 B 103. **459:** L 805 V– Gr– S 711 B 103.
460: L– V– Gr– S 713 B 103.

XLIV. MISSA IN SANCTI MARCI EUANGELISTE

461

ORATIO. Ds qui hunc diem beati marci euangeliste et martiris tui: gloriose passionis famoso exigente: tropeo sanguinis roseo consecrasti rore perfusum: presta qs: ut ipse apud te pro nobis existat precipuus suffragator. qui unigeniti tui fieri meruit euangelicus predicator .,. per eundem.

462

ORATIO SECRETA. Hanc in conspectu diuine et tremende maiestatis tue: placationis hostiam beati marci euangeliste tui interces[128r]-sio ueneranda commendet: [et] fidem angelicis tibi manibus oblatam. tuaque dextera benedicta. ab omni nos abluat peccatorum labe purgatos .,. per.

463

ORATIO POST COMMUNIONEM. Inenarrabilis sacramenti dulcedinis suabitate refecti: qs dne beati marci martiris tui et euangeliste: munitis suffragiis: nullis umquam impediamur terrenis actibus te sequi desideratum dnm: rerum bonorum omnium seruiamus auctoris .,. per dnm nrm.

XLV. MISSA IN LETANIAS MAIORES

464

INTROITUS. Exaudiuit de templo sancto suo uocem meam alleluia et clamor [128v] meus in conspectu eius introiuit in aures eius alleluia alleluia. PS. Diligam te.

461: – E 664.
462: – E 666; zwischen *tua* und *que* sowie nach *labe* kleine Rasurstellen.
463: – E 668.
464: AMS 94a B 106.

465

ORATIO. Presta qs omips ds: ut qui in afflictione nostra: de tua pietate confidimus: contra aduersa omnia: tua semper protectione muniamur .,. per.

466

LECTIO EPISTOLE BEATI IACOBI APOSTOLI (Jac 5,16–20): Kaıissimi. Confitemini alterutrum peccata uestra . . . et operit multitudinem peccatorum .,. [129r]

467

ALLELUIA. ℣. Confitemini dno quoniam bonus quoniam in seculum misericordia eius.

468

SEQUENTIA SCI EUANGELII SECUNDUM LUCAM (Lc 11,5–13): [129v] In illo tempore. Quis uestrum habebit amicum: et ibit ad illum . . . pater uester de celo: dabit spiritum bonum: petentibus se .,. [130v]

469

OFFERTORIUM. Confitebor dno nimis in ore meo et in medio multorum laudabo eum qui assistit ad dexteram pauperis ut saluam faceret a persequentibus animam meam alleluia.

470

ORATIO SECRETA. Hec munera dne qs: et uincula nostre iniquitatis. absolbant: et tue nobis misericordie dona concilient .,. per.

471

COMMUNIO. Petite et accipietis querite et inuenietis pulsate et aperietur uobis. omnis enim qui petit accipit et qui querit inuenit pulsanti aperietur [131r] alleluia.

472

ORATIO POST COMMUNIONEM. Uota nostra qs dne pio fauore prosequere: ut dum dona tua in tribulatione percepimus: de consolatione nostra in tuo amore crescamus .,. per.

465: L– V– Gr 372 B 106.
466: CoP 221 B 106.
467: AMS 94a B 106.
468: CoP 222 B 106.
469: AMS 94b B 106.
470: L– V– Gr 373 B 106.
471: AMS 94b B 106.
472: L– V– Gr 374 B 106.

XLVI. MISSA IN SANCTI PHILIPPI ET IACOBI

473

INTROITUS. Exclamauerunt ad te dne in tempore afflictionis sue et tu de celo exaudisti eos alleluia alleluia. PS. Gaudete.

474

ORATIO. Ds qui nos annua apostolorum tuorum philippi et iacobi: sollempnitate letificas: presta qs: ut quorum gaudemus meritis: instruamur exemplis .,. per dnm nrm.

475

LECTIO LIBRI SAPIENTIE (Sap 5, 1–5): [131v] Stabunt iusti in magna constantia . . . et inter sanctos sors illorum est .,. [132r]

476

ALLELUIA. ℣. Confitebuntur celi mirabilia tua dne et ueritatem tuam in ecclesia sanctorum.

477

SEQUENTIA SCI EUANGELII SECUNDUM IOHANNEM (Jo 14, 1–13): In illo tempore. Non turbetur cor uestrum. neque formidet . . . et quodcumque petieritis in nomine meo det uobis .,. [133r]

478

OFFERTORIUM. Confitebuntur celi.

479

ORATIO SECRETA. Munera dne que pro apostolorum tuorum philippi et iacobi sollempnitate deferimus: propitius suscipe. et mala omnia que meremur auerte .,. per.

480

COMMUNIO. Tanto tempore uobiscum sum et [133v] non cognouistis me philippe qui uidet me uidet et patrem alleluia. Non credis quia ego in patre et pater in me est alleluia alleluia.

481

ORATIO POST COMMUNIONEM. Beatorum apostolorum dne qs: intercessione nos adiuua pro quorum sollempnitate percepimus: tua sancta letantes .,. per.

473: AMS 96 B 110. **474:** L– V– Gr 379 B 110.
475: CoP 206 B 110 Dold, Lesetexte 305. **476:** MR B–.
477: CoP 207 B 110 Dold, Lesetexte 305. **478:** AMS 96 B 110.
479: L– V– Gr 380 B 110. **480:** AMS 96 B 110. **481:** L 370 V 864 Gr– B–.

XLVII. INUENTIO SANCTE ATQUE UIUIFICE CRUCIS

482

INTROITUS. Nobis autem gloriari.

483

ORATIO. Ds qui in preclara salutifere crucis inuentione: passionis tue miracula suscitasti: concede: ut uitalis ligni pretio: eterne uite suffragia consequamur .,. qui uiuis.

484

LECTIO EPISTOLE BEATI PAULI APOSTOLI AD CORINTHIOS (!) (Col 1, 26–29): [134r] Fratres: Misterium quod fuit absconditum a seculis ... secundum operationem eius. per quam operatur in me uirtutem .,.

485

ALLELUIA. ℣. [134v] Dulce lignum dulces clauos dulcia ferens pondera que sola fuisti digna portare regem celorum et dnm.

486

SEQUENTIA SCI EUANGELII SECUNDUM MATHEUM (Mt 13,44–52): In illo tempore. Simile est regnum celorum thesauro abscondito in agro ... qui profert de thesauro suo noua et uetera .,. [135v]

487

OFFERTORIUM. Ueniens uir splendidissimus ad constantinum nocte [et] excitauit eum dicens respice in celum et uide signum crucis dni per quod accipies uirtutem et fortitudinem. uiso autem signo rex fecit similitudinem crucis quam uiderat in celum et glorificauit dnm. alleluia.

488

ORATIO SECRETA. Sacrificium dne quod immolamus: placatus intende: ut ab omni nos exuat bellorum: nequitia. et per uexillum sancte crucis [136r] filii tui: ad conterendas potestatum aduersariorum insidias: nos in tue protectionis securitate constitue .,. per eundem.

482: AMS 97 bis B 111. **483:** L– V 869 Gr– S 743 B 111.
484: CoP– B 111 Dold, Lesetexte 306. **485:** MR B 111.
486: CoP– B 111 Dold, Lesetexte 306.
487: ? B–; Text und Neumen von anderer Hand.
488: L– V 871 cf. Gr 870 S 744 B 111.

489

PREPHATIO. U+D usque gratias agere .,. Precipue in die ista in qua filii tui unigeniti. a iudeis abditum gloriosum inuentum est triumphum .,. Qui protoplausti facinus: per ligni uetiti gustum: humanoque in genere diriuatum: per idem lignum crucis: signum simul quo nostra secum xps affixit delicta donasti .,. Et ideo cum angelis.

490

COMMUNIO. Nos autem gloriari oportet in cruce dni nri ihu xpi.

491

ORATIO POST COMMUNIONEM. Repleti alimonia celesti: [136v] et spiritali poculo recreati. qs omips ds: ut ab hoste maligno defendas. quos per lignum sancte crucis filii tui arma iustitie. pro salute mundi triumphare iussisti .,. per eundem.

XLVIII. INUENTIO SANCTI ANGELI

492

INTROITUS. Benedicite dnm omnes angeli eius potentes uirtute qui facitis ueruum eius ad audiendam uocem sermonum eius. PS. Benedic anima.

493

ORATIO. Ds qui miro ordine angelorum ministeria hominumque dispensas: concede propitius: ut a quibus tibi ministrantibus in celo semper assistatur: ab his in terra uita nostra muniatur .,. per.

494

LECTIO LIBRI APOCALIPSIS IOHANNIS APOSTOLI (Apo 12, 7–12): [137r] In diebus illis. Factum est prelium magnum in celo: michahel et angeli eius . . . letamini celi: et qui habitatis in eis .,. [137v]

495

GRADUALE. Benedicite dnm omnes angeli eius potentes uirtute

489: L– V– Gr– cf. S 746 B–.
490: AMS 97bis B 111.
491: L– V 872 Gr– S 747 B 111.
492: AMS 157 B 113.
493: L– V– Gr 574 S 1242 B 113.
494: CoP– B– Dold, Lesetexte 306.
495: AMS 157 B 113; erronee: *bedic*.

qui facitis uerbum eius. ℣. Be(ne)dic anima mea dnm et omnia interiora mea nomen [138r] sanctum eius.

496

ALLELUIA. ℣. Uniuerse angelorum uirtutes laudate dnm.

497

SEQUENTIA SCI EUANGELII SECUNDUM MATHEUM (Mt 18, 1–10): In illo tempore. Accesserunt ad ihm discipuli dicentes. quisnam maior est in regno celorum ... semper uident faciem patris mei qui in celis est .,. [139r]

498

OFFERTORIUM. Stetit angelus iuxta aram templi habens turibulum aureum in manu sua et data sunt ei incensa multa et ascen[139v]dit fumus aromatizans in conspectu dei. Alleluia.

499

ORATIO SECRETA. Hostias tibi dne laudis offerimus: suppliciter deprecantes: ut easdem angelico pro nobis interueniente suffragio: et placatus accipias: et ad salutem nostram prouenire concedas .,. per.

500

PREPHATIO. U+D usque gratias agere .,. Sancti michahelis archangeli tui merita predicantes .,. Quamuis enim nobis sit angelica ueneranda sublimitas: que maiestatis tue consistit gloriosa conspectui: illa tamen propensius honoranda est: que in eius ordinis di[140r]gnitate: celestis militie meruit principatum .,. per xpm dnm nrm .,.

501

COMMUNIO. Benedicite omnes angeli dni dnm hymnum dicite et superexaltate eum in secula.

502

ORATIO POST COMMUNIONEM. Beati michahelis archangeli tui intercessione adiuti: supplices te dne deprecamur: ut quod hore prosequimur: contingamus et mente .,. per.

496: ? B–. **497:** cf. CoP 368 B 113 Dold, Lesetexte 306.
498: AMS 157 B 113. **499:** L 845 V– Gr 575 S 1244 B 113.
500: L– V– Gr– S 1246 B 113. **501:** AMS 157 B 113.
502: L 858 cf. V 1033 Gr 576 S 1247 B 113.

IL. MISSA IN SANCTO BARTHOLOMEO

503

ORATIO. Da qs dne fidelibus tuis. fortes in fide et bono persistere opere: qui beato bartholomeo [apostolo tuo] tantam tribuisti constantiam: ut etiam uiuus decoriari sufferret pro tuo laudabili nomine .,. per. [140v]

504

ORATIO SECRETA. Ds qui exorante apostolo tuo bartholomeo demoni precepisti: suum funditus diruere simulacrum: peccatorum imagines a nostris mentibus qs expelle propitius: ut eius precibus emundati regni tui ianuam gaudenter introire mereamur .,. per.

505

ORATIO POST COMMUNIONEM. Tuere clementissime dne: precibus beati apostoli tui bartholomei: oues tuo sanguine redemptas: ab omnibus malis: ut eius festiuitatem celebrantes: a cunctis periculis eruamur .,. qui uiuis.

L. UIGILIA ASCENSIONIS DOMINI

506

INTROITUS. Omnes gentes plaudite manibus iubilate deo in uoce exulta[141r]tionis. PS. Ipsum.

507

ORATIO. Ds cuius filius in alta celorum potenter ascendens: captiuitatem nostram sua duxit uirtute captiuam: tribue qs: ut dona que suis participibus contulit: largiatur et nobis .,. ihs xps dns nr.

508

LECTIO EPISTOLE BEATI PAULI APOSTOLI AD EPHESIOS (Eph 4, 7–13): Fratres. unicuique nostrum data est gratia. secundum mensuram . . . in mensuram etatis: plenitudinis xpi dni nri .,. [141v]

503: –B (133 als Or. ad uesperum). 504: –B–. 505: –B 133.
506: AMS 101 bis B 115. 507: L– V 578 (als Postcom.) Gr 400 B 115.
508: CoP– B–.

509

ALLELUIA. ℣. Ascendit ds in iuuilatione et dns [142r] in uoce tube.

510

SEQUENTIA SANCTI EUANGELII SECUNDUM IOHANNEM (Jo 17, 1–11): In illo tempore. Subleuatis ihs oculis in celum dixit: pater ... et hi in mundo sunt. et ego ad te uenio. [143r]

511

OFFERTORIUM. Ascendit deus in iubilatione dns in uoce tube alleluia.

512

ORATIO SECRETA. Sacrificium dne pro filii tui supplices uenerabili quam preuenimus nunc ascensione deferimus: presta qs: ut et nos per ipsum his commerciis sacrosanctis ad celestia consurgamus .,. per.

513

COMMUNIO. Pacem meam do uobis alleluia pacem relinquo uobis alleluia alleluia.

514

ORATIO POST COMMUNIONEM. Tribue qs dne: ut per hec sacra que sumpsimus: illuc [143v] tendat nostre deuotionis affectus: quo tecum est nostra substantia .,. per eundem.

LI. MISSA IN ASCENSIO DOMINI

515

INTROITUS. Uiri galilei quit ammiramini aspicientes in celum alleluia quemammodum uidistis eum ascendentem in celum ita ueniet alleluia alleluia alleluia. PS. Omnes gentes.

516

ORATIO. Concede qs omips ds: ut qui hodierna die unigenitum tuum redemptorem nostrum in celos ascendisse credimus: ipsi quoque mente in celestibus habitemus .,. per eundem dnm.

517

LECTIO ACTUUM APOSTOLORUM (Act 1, 1–11): [144r] Primum qui-

509: AMS 102a B 115. **510:** CoP 223 B 115 Dold, Lesetexte 304.
511: AMS 102a B 115. **512:** L– V 574 Gr– B–. **513:** AMS 109 B–.
514: L 185 V 584 Gr– B 115. **515:** AMS 102a B 116.
516: L– V– Gr 394 B 116. **517:** CoP 224 B 116 Dold, Lesetexte 304.

dem sermonem feci de omnibus o theophile . . . uidistis eum euntem in celum .,. [145r]

518

ALLELUIA. ℣. Regnauit dns super omnes gentes deus sedet super sedem sanctam suam.

519

SEQUENTIA SCI EUANGELII SECUNDUM MARCUM (Mc 16, 14–20): In illo tempore. Recumbentibus undecim discipulis: apparuit ihs . . . et sermonem confirmante sequentibus signis .,. [146r]

520

OFFERTORIUM. Uiri galilei quit ammiramini aspicientes in celum sic ueniet quemammodum uidistis eum ascendentem in celum alleluia.

521

ORATIO SECRETA. Suscipe dne munera: que pro filii tui gloriosa ascensione [146v] deferimus: et concede propitius: ut et a presentibus periculis liberemur: et ad uitam perueniamus eternam .,. per eundem.

522

PREPHATIO. U+D usque per xpm dnm nrm .,. Qui post resurrectionem suam omnibus discipulis suis manifestus apparuit: et ipsis cernentibus est eleuatus in celum: ut nos diuinitatis sue tribueret: esse participes .,. Et ideo.

523

COMMUNIO. Psallite dno qui ascendit super celos celorum ad orientem alleluia.

524

ORATIO POST COMMUNIONEM. Presta qs omips ds: ut qui uisibilibus misteriis sumenda per[147r]cepimus: inuisibilis consequamur effectum .,. per.

518: AMS 103 B 116. **519:** CoP 225 B 116 Dold, Lesetexte 304.
520: AMS 102b B 116; erronee: *aspicientem*. **521:** L– V– Gr 395 B 116.
522: L– V– Gr 396 B 116. **523:** AMS 102b B 116.
524: L– V– Gr 398 B 116.

525

ORATIO. Presta qs omips ds: ut claritatis tue super nos splendor effulgeat: et lux tue lucis: corda eorum: qui per gratiam tuam renati sunt: sancti spiritus illustratione confirmet .,. per eundem.

526

LECTIO ACTUUM APOSTOLORUM (Act 19, 1–8): In diebus illis. Cum apollo esset corinthi et paulus peragratis superioribus partibus . . . per tres menses disputans et suadens de regno dei .,. [147v]

527

ALLELUIA. ℣. Emitte [148r] spiritum tuum et creabuntur et renobabis faciem terre.

528

SEQUENTIA SCI EUANGELII SECUNDUM IOHANNEM (Jo 14, 15–21): In illo tempore. Si diligitis me: mandata mea seruate . . . et ego diligam eum et manifestabo ei meipsum .,. [148v]

529

OFFERTORIUM. Emitte spiritum tuum et creabuntur et renobabis faciem terre sit gloria dni in secula alle[149r]luia.

530

ORATIO SECRETA. Uirtute sancti spiritus dne munera nostra continge: ut quod sollempnitas presens tuo nomini dedicauit: et intellegibile nobis faciat et eternum .,. per.

531

COMMUNIO. Ultimo festiuitatis diem dicebat ihs qui in me credit flumina de uentre eius fluent aque uiue hoc autem dixit de spiritu quem accepturi erant credentes in eum alleluia alleluia.

532

ORATIO POST COMMUNIONEM. Mentes nostras qs dne: spiritus sanctus diuinis reparet sacra[149v]mentis: quia ipse est remissio omnium peccatorum .,. per. qui tecum.

525: L– V– Gr 410 B 118.
526: CoP 230 B 118 Dold, Lesetexte 304.
527: AMS 106 B–.
528: CoP 231 B 118 Dold, Lesetexte 304.
529: AMS 105 B 118.
530: L– V 626 Gr– B 119.
531: AMS 105 B 118.
532: L 223 V 639 Gr– B 118.

LIII. MISSA IN PENTECOSTEN

533

INTROITUS. Spiritus dni repleuit orbem terrarum alleluia. et hoc quod continet omnia scientia habet uocis alleluia alleluia alleluia. PS. Exurgat.

534

ORATIO. Ds qui hodierna die corda fidelium sancti spiritus illustraione docuisti: da nobis in eodem spiritu recta sapere: et de eius semper consolatione gaudere .,. per. qui tecum et cum eodem .,.

535

LECTIO ACTUUM APOSTOLORUM (Act 2, 1–11): In diebus illis. Cum complerentur dies pentecosten. erant omnes disci[150r]puli ... audiuimus eos loquentes nostris linguis magnalia dei .,. [151r]

536

ALLELUIA. ℣. Dum complerentur dies pentecostes erant omnes pariter dicentes.

537

SEQUENTIA SCI EUANGELII SECUNDUM IOHANNEM (Jo 14, 23–31): In illo tempore. Si quis diligit me sermonem meum seruabit ... sicut mandatum dedit michi pater sic facio .,. [152r]

538

OFFERTORIUM. Factus est repente de celo sonus tamquam aduenientis spiritus uehementis et repleuit totam domum ubi erant sedentes alleluia.

539

ORATIO SECRETA. Munera dne qs oblata sanctifica: et corda nostra sancti spiritus illustratione emunda .,. qui tecum. [152v]

540

PREPHATIO. U + D usque per xpm dnm nrm .,. Qui ascendens super omnes celos: sedensque ad dexteram tuam promissum spiritum

533: AMS 106 B 119. **534:** L– V– Gr 416 B 119.
535: CoP 232 B 119 Dold, Lesetexte 304. **536:** ? B 119.
537: CoP 233 B 119 Dold, Lesetexte 304. **538:** AMS 106 B–.
539: L– V– Gr 411 B–.
540: cf. L 202 cf. V 627 cf. Gr 412 cf. AmB 773 cf. B 119.

sanctum hodierna die in filios adoptionis effudit .,. Hodie enim sacratissimum pascha quinquaginta dierum misterio tegitur. et dispersio linguarum que in confessione facta fuerat. per spiritum sanctum adunatur .,. Dum omnium linguarum tuas dne uirtutes atque angelice potestates. ymnum glorie tue concinunt sine fine dicentes .,.

541

COMMUNIO. Factus est repente de celo sonus aduenientis spiritus uehementis ubi erant sedentes alleluia et repleti sunt omnes [153r] spiritu sancto loquentes magnalia dei alleluia alleluia.

542

ORATIO POST COMMUNIONEM. Sancti spiritus dne corda nostra mundet infusio. et sui roris intima asperione fecundet .,. per. qui tecum.

LIV. UIGILIA SANCTI IOHANNIS BAPTISTE

543

INTROITUS. Ne timeas zacharia exaudita est oratio tua et elisabeth uxor tua pariet tibi filium et uocabis nomen eius iohannem et erit magnus coram dno et spiritu sancto repleuitur adhuc ex utero matris sue et multi in natiuitate eius gaudebunt. PS. Dne in uirtute. [153v]

544

ORATIO. Presta qs omps ds: ut familia tua per uiam salutis incedat. et beati iohannis precursoris hortamenta sectando: ad eum quem predixit secura perueniat .,. per eundem.

545

LECTIO HIEREMIE PROPHETE (Jer 1,4–10): In diebus illis. Factum est uerbum dni ad me dicens. priusquam te formarem in utero noui te . . . et dissipes et edifices et plantes. dicit dns omips .,. [154r]

546

GRADUALE. Fuit homo missus a deo cui nomen iohannes erat hic uenit. ℣. Ut testimonium periberet de lumine et parare dno plebem perfec[154v]tam.

541: AMS 106 B 119. **542**: L– V– Gr 415 B 119.
543: AMS 117 B 136. **544**: L– V– Gr 448 B 136.
545: CoP 273 B 136 Dold, Lesetexte 307. **546**: AMS 117 B 136.

547

ALLELUIA. ℣. Ne timeas zacharia ne timeas quia exaudita est oratio tua et nascetur tibi filius et uocabitur nomen eius iohannes.

548

INITIUM SCI EUANGELII SECUNDUM LUCAM (Lc 1, 5–17): Fuit in diebus herodis regis iudee sacerdos quidam nomine zacharias ... parare dno plebem perfectam .,. [155v]

549

OFFERTORIUM. Gloria et honore coronasti eum.

550

ORATIO SECRETA. Munera dne oblata sanctifica. et intercedente beato iohanne baptista: nos per hec a peccatorum maculis emunda .,. per.

551

COMMUNIO. Magna est gloria eius in sa(lutari tuo).

552

ORATIO POST COMMUNIONEM. [156r] Beati nos dne baptiste iohannis. oratio. et intellege xpi tui misterium postulet et mereri .,. per [eundem].

LV. (MISSA IN) NATALE EIUSDEM

553

INTROITUS. De uentre matris mee uocauit me dns nomine meo. et posuit os meum ut gladium acutum sub tegumento manus sue protexit me posuit me quasi sagittam electam. PS. Bonum est confiteri.

554

ORATIO. Ds qui presentem diem honorabilem nobis in beati iohannis natiuitate fecisti: da populis tuis spiritalium gratiam gaudiorum: et omnium fidelium mentes [156v] dirige in uiam salutis eterne .,. per.

547: ? B 136.
548: CoP 274 B 136 Dold, Lesetexte 307.
549: AMS 117 B 136.
550: L– V– Gr 449 B 136.
551: AMS 117 B 136.
552: L– V 900 Gr– B 136.
553: AMS 119 B 138.
554: L 251 V 901 Gr 454 B 138.

555

LECTIO HESAYE PROPHETE (Is 49,1–3.5–7): Hec dicit dns: Audite insule: et adtendite populi de longe ... et adorabunt dnm deum tuum: et sanctum israhel qui elegit te .,. [157r]

556

GRADUALE. Priusquam te formarem in utero noui te et antequam exires de uentre sanctificaui te. ℣. Misit dns manum suam et tetegit os meum et dixit michi.

557

ALLELUIA. ℣. Iustus ut palma florebit et sicut cedrus multiplicabitur. [157v]

558

SEQUENTIA SCI EUANGELII SECUNDUM LUCAM (Lc 1,57–68): In illo tempore. Elisabeth impletum est tempus pariendi ... quia uisitauit et fe[158v]cit redemptionem plebis sue .,.

559

OFFERTORIUM. Iustus ut plama floreuit.

560

SECRETA ORATIO. Tua dne muneribus altaria cumulamus: sancti iohannis natiuitatem honore deuito celebrantes: qui saluatorem mundi cecinit affuturum: et adesse monstrauit. ihm xpm filium tuum dnm nrm.

561

PREPHATIO. U+D usque eterne ds .,. In die festiuitatis hodierne quo beatus iohannes exortus est .,. Nondum terrena conspiciens: celestia iam reuelans: lucis eterne predicator ostensus est: priusquam lumen temporale sentiret .,. Testis [159r] ueritatis antequam uisus. et ante propheta quam natus: maternis uisceribus latens: unigenitum dei filium prescit exultatione prenuntians. per xpm dnm.

562

COMMUNIO. Tu puer propheta altissimi uocaberis prehibis enim ante faciem dni parare uias eius.

555: CoP 275 B 138 Dold, Lesetexte 307.
556: AMS 119 B 138.
557: cf. AMS 95 B 138.
558: CoP 276 B 138 Dold, Lesetexte 307.
559: AMS 119 B 138.
560: L 238 V 903 Gr 455 B 138.
561: L 239 V– Gr– B 138.
562: AMS 119 B 138.

563

ORATIO POST COMMUNIONEM. Sumat ecclesia tua deus. beati iohannis baptiste: generationis letitiam: per quem sue regenerationis agnouit auctorem .,. ihm xpm.

LVI. UIGILIA APOSTOLORUM PETRI ET PAULI

564

INTROITUS. Dicit dns petro cum esses iunior cingebas te et ambulabas ubi uo[159v]lebas cum autem senueris extendes manus tuas et alius te cinget et ducet quo tu non bis hoc autem dixit significans qua morte clarificaturus esset deum. PS. Celi enarrant gloriam.

565

ORATIO. Ds qui nobis beatorum apostolorum petri et pauli natalicia gloriam prehire concedis: tribue qs: eorum semper et beneficiis preueniri: et orationibus adiuuari .,. per.

566

LECTIO ACTUUM APOSTOLORUM (Act 3, 1–10): In diebus illis. Petrus et iohannes ascendebant in templum: ad horam orationis nonam . . . et repleti sunt stupore et extasi in eo quod contigerat illi .,. [160v]

567

ALLELUIA. ℣. Tu es petrus et super hanc [161r] petram edificabo ecclesiam meam.

568

SEQUENTIA SCI EUANGELII SECUNDUM IOHANNEM (Jo 21, 15–19):In illo tempore. Dixit ihs symoni petro. Simon iohannis diligis me plus his . . . qua morte clarificaturus esset deum .,. [161v]

569

OFFERTORIUM. Michi autem nimis honorificati sunt amici tui ds nimis confortatus est principatus eorum.

563: L– V 904 Gr 456 B 138.
564: AMS 121 B 140.
565: L– V 915 Gr– B 140.
566: CoP 279 B 140.
567: AMS 122b B 140.
568: CoP 280 B 140.
569: AMS 121 B 140.

570

ORATIO SECRETA. Munera dne tue glorificationis offerimus: que tibi pro nostris [162r] grata ieiuniis: sanctorum apostolorum qs precatio. quorum sollempnia preuenimus efficiat .,. per.

571

COMMUNIO. Simon iohannis diligis me plus his dne tu omnia nosti tu scis dne quia amo te.

572

ORATIO POST COMMUNIONEM. Quos celesti dne alimento satiasti. apostolicis intercessionibus ab omni aduersitate custodi .,. per.

LVII. (MISSA IN) NATALE APOSTOLORUM

573

INTROITUS. Nunc scio uere quia misit dns angelum suum et eripuit me de manu herodi et de omni expectatione plebis iudeorum. PS. Dne probasti me. [162v]

574

ORATIO. Ds qui hodiernam diem apostolorum tuorum petri et pauli martirio consecrasti: da ecclesie [tue] eorum in omnibus sequi preceptum: per quos religionis sumpsit exordium .,. per.

575

LECTIO ACTUUM APOSTOLORUM (Act 12,1–11): In diebus illis. Misit herodes rex manus. ut affligeret quosdam de ecclesia . . . et de omni expectatione plebis iudeorum .,. [163v]

576

GRADUALE. Constitues eos principes super [164r] omnem terram memores erunt nominis tui dne. ℣. Pro patribus tuis nati sunt tibi filii propterea populi confitebuntur tibi.

577

ALLELUIA. ℣. Beatus es simon bar iona quia caro et sanguis non reuelauit tibi set pater meus qui in celis est.

570: L 353 V 916 Gr– B–.
571: AMS 122b B 140; erronee: *tus scis.*
572: L– V 1261 Gr 469 B 140.
573: AMS 122a B 141.
574: L– V 921 Gr 471 B 141.
575: CoP 281 B 140.
576, 577: AMS 122b B 141.

578

SEQUENTIA SCI EUANGELII SECUNDUM MATHEUM (Mt 16, 13–19): In illo tempore. Uenit ihs in partes cesaree philippi ... quodcumque solueris super terram: erit solutum et in celis .,. [165r]

579

OFFERTORIUM. Constitues eos principes super omnem terram memores erunt nominis tui in omni progenie et generatione.

580

ORATIO SECRETA. Hostias dne quas nomini tuo sacrandas offerimus. apostolica prosequamur oratio: per quam nos expiari tribuas et defendi .,. per.

581

PREPHATIO. U + D equum et salutare .,. Te dne [165v] suppliciter exorare. ut gregem tuum pastor eterne non deseras. set per beatos apostolos tuos continua protectione custodias .,. Ut hisdem rectoribus gubernetur. quos operis tui uicarios. eidem contulisti preesse pastores .,. Et ideo cum angelis.

582

COMMUNIO. Tu es petrus et super hanc petram edificabo ecclesiam meam.

583

ORATIO SECRETA(!). Sumptis dne remediis sempiternis. tuorum mundentur corda fidelium: ut apostolici petri et pauli natalis insignia. que corporalibus officiis exequuntur. pia cordis intellegentia comprehendant .,. per.

LVIII. MISSA IN SANCTI APOLLINARIS

584

ORATIO. Omips sempiterne ds. ecclesiam tuam uotis propitiatus aspira. ut beati martiris tui atque pontificis apollinaris meritis adiuuemur. cuius passione letatur .,. per.

578: Co P282 B 141 Dold, Lesetexte 308.
579: AMS 122b B 141.
580: L 368 V– Gr 472 B 141.
581: L– V– Gr 468 B 141.
582: AMS 121 B 141.
583: L– V 925 Gr– B 141.
584: cf. L 747 V– Gr– B– ZPL XVI, 1.

585

ORATIO SECRETA. Hostiam nostram qs dne sancti apollinaris martiris tui atque pontificis: et ueneranda confessio. et exaudibilis commendet oratio .,. per.

586

ORATIO POST COMMUNIONEM. Gratulantes dne in commemoratione sancti apollinaris martiris atque pontificis: qs ut eius nos continuis adiuuari supplicationibus sentiamus .,. per.

LIX. MISSA IN SANCTI IACOBI APOSTOLI

587

ORATIO. Esto dne plebi tue sanctificator [166v] et custos. ut apostoli tui iacobi munita presidiis. et conuersatione tibi placeat: et secura mente deseruiat .,. per.

588

ORATIO SECRETA. Oblationes populi tui qs dne. beati apostoli tui iacobi passio beata conciliet: et que nostris non apta sunt meritis: fiant tibi placita eius deprecatione .,. per.

589

ORATIO POST COMMUNIONEM. Beati apostoli tui iacobi cuius hodie festiuitate corpore et sanguine tuo nos refecisti: qs dne: intercessione [nos] adiuua. pro cuius sollempnitate percepimus: tua sancta letantes .,. qui uiuis.

LX. MISSA IN SANCTE TRINITATIS (!)

590

INTROITUS. Benedicta sit sancta trinitas [167r] atque indiuisa unitas confiteamur ei quia fecit nobis cum misericordiam suam. PS. Confitemini dno et in(uocate nomen eius).

585: cf. L 72 V– Gr– B–. 586: – B–.
587: L 363 cf. V 1162 Gr– S 1009 B 147.
588: L 286 V– Gr– S 1010 B 147.
589: cf. L 330 cf. V 864 Gr– S 1012 B 147.
590: AMS 172 bis B 154.

591
ORATIO. Ds qui hodierna die unigenitum tuum mirabiliter transformatum: celitus utriusque testamenti patribus reuelasti: da nobis qs: beneplacitis tibi actibus ad eius semper contemplandam pertingere gloriam. in quo tue paternitati optime complacuisse testatus es .,. per eundem.

592
LECTIO LIBRI APOCALIPSIS IOHANNIS APOSTOLI (Apo 1, 12–18): In diebus illis: Ego iohannes conuersus uidi septem candelabra aurea . . . et ecce sum uiuens in secula seculorum .,. [168r]

593
GRADUALE. Benedictus es dne qui intueris abissos et sedes super cherubim. ℣. Benedicite deum celi et coram omnibus uiuentibus confitemini ei.

594
ALLELUIA. ℣. Benedictus es dne ds patrum nostrorum et laudabilis in secula.

595
SEQUENTIA SCI EUANGELII SECUNDUM MARCUM (Mc 9, 1–8): [168v] In illo tempore. Assumpsit ihs petrum iacobum et iohannem . . . nisi cum filius hominis a mortuis resurrexerit .,. [169r]

596
OFFERTORIUM. Benedictus sit ds pater unigenitusque dei filius sanctus quoque spiritus quia fecit nobiscum misericordiam suam.

597
ORATIO SECRETA. [169v] Suscipe qs dne sancte pater omips munera: que per gloriosam filii tui transfigurationem deferimus. et concede propitius. ut per hec a temporalibus liberemur incommodis. et gaudiis conectamur eternis .,. per eundem.

598
COMMUNIO. Benedicimus deum celi et coram omnibus uiuentibus confitebimur ei quia fecit nobiscum misericordiam suam.

591: – B 154.
592: CoP– B–.
593, 594: AMS 172 bis B 154.
595: CoP– B 154.
596: AMS 172 bis B 154.
597: – B 154.
598: AMS 172 bis B 154.

599
ORATIO POST COMMUNIONEM. Ds qui hunc diem incarnati uerbi tui transfiguratione: tueque ad eum missa paternitatis uoce consecrasti. tribue qs: ut diuinis pasti alimoniis in eius mereamur membra transferri: [170r] qui hec in sui memoriam fieri precepit .,. per eundem.

LXI. (MISSA IN UIGILIA SANCTI LAURENTII)

600
INTROITUS. Dispersit dedit pauperibus iustitia eius manet in seculum seculi cornu eius exaltabitur in gloria. PS. Beatus uir qui timet.

601
ORATIO. Beati laurentii ma[r]tiris tui dne geminata gratia nos refoue. quam glorificationis eius et optatis prehimus officiis. et desideranter expectamus aduentum .,. per.

602
[LECTIO EIUS REQUIRE IN UIRGINUM].

603
GRADUALE. Dispersit dedit pauperibus iustitia eius manet in seculum seculi. ℣. Potens in terra erit semen eius generatio rectarum benedicetur.

604
SEQUENTIA SCI EUANGELII SECUNDUM MATHEUM (Mt 16,24–28): In illo tempore. Si quis uult post me uenire abneget semetipsum [170v] ... donec uideant filium hominis uenientem in regno suo .,.

605
OFFERTORIUM. Oratio mea munda est et ideo peto ut detur locus uoci mee in celum. quia ibi est iudex meus et conscius meus in eternum ascendat ad dnm [171r] deprecatio mea .,.

606
ORATIO SECRETA. Hostias dne quas tibi offerimus: propitius suscipe: et intercedente beato laurentio martire tuo: uincula peccatorum nostrorum absolue .,. per.

607
COMMUNIO. Qui uult uenire post me abneget semedipsum et tollat crucem suam et sequatur me .,.

608
ORATIO POST COMMUNIONEM. Sancta tua dne de beati laurentii leuite et martiris: pretiosa passione: et sollempnia quam prehimus: nos refoueant: quibus et iugiter satiamur: et semper desideramus expleri .,. per.

599: – B 154; geht fol. 170r bis 171v mit späterer Hand weiter; erronee: *glaria*.
600: Gesänge AMS 135 B 157. **601:** L– V 970 Gr– B–.
602: vermutlich: Eccli 51,1–12 = B 157 CoP 316 cf. Dold, Lesetexte 310.
604: CoP 317 B 157 Dold, Lesetexte 310. **606:** L– V– Gr 507 B 157.
608: L– V 973 Gr– B–.

609

(LECTIO EPISTOLE BEATI PAULI APOSTOLI) AD CORINTHIOS (II Cor 9,6–10): Fratres: Qui parce seminat parce et metet . . . et augebit incrementa frugum iustitie uestre .,. [171v]

610

(ORATIO). Excita dne in ecclesia tua spiritum cui beatus laurentius leuita seruiuit. ut eodem nos replentes audemus amare quod amauit et opere exercere quod docuit .,. per dnm. [172r]

LXII. MISSA IN SANCTI LAURENTII

611

INTROITUS. Probasti dne cor meum et uisitasti nocte igne me examinasti et non est inuenta in me iniquitas. PS. Exaudi dne iustitiam meam.

612

ORATIO. Ds mundi creator et rector. qui hunc diem in leuite tui laurentii martirio consecrasti. concede propitius. ut omnes qui martirii eius merita ueneramur. intercessionibus eius: ab eternis gehenne incendiis liberemur .,. per.

613

APOSTOLUM REQUIRE RETRO FOLIO .J. [172v]

614

GRADUALE. Probasti dne cor meum et uisitasti nocte. ℣. Igne me examinasti et non est inuenta in me iniquitas.

615

ALLELUIA. ℣. Beatus laurentius orauit et dixit dne ihu xpe deus de deo miserere mei serui tui.

609: CoP 318 B 158 Dold, Lesetexte 310.
610: L 753 V– Gr 509 B 158 ZPL XIX, 1.
611: AMS 141 B 158; ab fol. 172r wieder mit erster Hand.
612: L– V 975 Gr– B– ZPL XX, 1.
613: vermutlich wie in ZPL XX (Eccli 14,22).
614, 615: AMS 136 B 158.

616

SEQUENTIA SCI EUANGELII SECUNDUM IOHANNEM (Jo 12,24–26): In illo tempore. Amen amen dico uobis nisi granum frumenti cadens [173r] . . . honorificauit eum pater meus qui est in celis .,.

617

OFFERTORIUM. Confessio et pulchritudo in conspectu eius sanctitas et magnificentia in sanctificatione eius.

618

ORATIO SECRETA. Presta qs dne ut beati lau[173v]rentii suffragiis in nobis tua munera tuearis: pro cuius honoranda confessione: hostias tibi laudis offerimus .,. per.

619

COMMUNIO. Qui michi ministrat me sequatur et ubi ego sum illic et minister meus erit.

620

ORATIO POST COMMUNIONEM. Uotiua dne pro beati martiris tui laurentii passione: dona percepimus. qs: ut eius precibus et presentis uite nobis pariter: et eterne tribuas conferre presidium .,. per.

LXIII. UIGILIA SANCTE MARIE

Can. require in uirginum.

621

INTROITUS. Dilexisti iustitiam.

622

ORATIO. Concede nobis omips ds: ad beate marie semper uirgi [174r] nis gaudia eterna pertingere. de cuius nos assumptione ueneranda. tribuis annua sollempnitate gaudere .,. per.

623

LECTIO REQUIRE IN UIRG. Dne ds meus exaltasti (Eccli 51,13).

616: CoP 319 B 158 Dold, Lesetexte 310.
617: AMS 136 B 158.
618: L– V 976 Gr– B–.
619: AMS 136 B 158.
620: L– V 978 Gr– B–.
621: AMS 3 B 160.
622: L– V– Gr– S 1092 B 160.
623: CoP– B (160 Eccl 51,13–17).

624

EUANGELIUM REQUIRE IN HONORE SCE MARIE. In illo tempore. Exurgens maria (Lc 1, 39).

625

ALLELUIA. ℣. Diffusa est gratia.

626

OFFERTORIUM. Offerentur regi.

627

ORATIO SECRETA. Intercessio qs dne beate marie uirginis. munera nostra commendet. nosque in eius tue ueneratione maiestatis reddat acceptos .,. per.

628

COMMUNIO. Diffusa est gratia.

629

ORATIO POST COMMUNIONEM. Sumptis dne sacramentis. intercedente beata et gloriosa semperque dei genitrice maria. ad redemptionis eterne: qs. proficiamus [174v] augmentum .,. per.

LXIV. MISSA IN ASSUMPTIONE

630

INTROITUS. Uultum tuum deprecabuntur omnes diuites plebis. adducentur regi uirgines post eam proxime eius. Adducentur tibi in letitia et exultatione. PS. Eructauit.

631

ORATIO. Ds qui hodierna die: pro incomparabilibus meritis: gloriosissimam mariam semperque uirginem et matrem ad superna gaudia perduxisti. presta illuc nos quoque tua pietate conscendere: quo ipsa meruit subleuari .,. per.

624: CoP– B (160 Lc 1, 39–47) Dold, Lesetexte 310.
625: AMS 3 B–.
626: AMS 3 B 160.
627: L– V– Gr– S 1094 B 160.
628: AMS 3 B 160.
629: L– V 1019 Gr– S– B 160.
630: AMS 140 B 161.
631: – B 161.

632

LECTIO LIBRI SAPIENTIE (Eccli 24,11–13.15–20): In omnibus requiem quesiui: et in hereditate dni morabor [175r] . . . Quasi mirra electa dedi suauitatem odoris .,. [175v]

633

GRADUALE. Propter ueritatem et mansuetudinem et iustitiam et deducet te mirabiliter dextera tua.

634

ALLELUIA. ℣. O quam beata es uirgo maria que es prima inter filias hierusalem quas circumdant flo[176r]res rosarum et lilia conuallium.

635

SEQUENTIA SCI EUANGELII SECUNDUM LUCAM (Lc 10,38–42; 11, 27–28): In illo tempore. Intrauit ihs in quoddam castellum: et mulier . . . beati qui audiunt uerbum dei et custodiunt illud .,. [176v]

OFFERTORIUM. Offerentur regi uirgines. 636

637

ORATIO SECRETA. Suscipe dne sacrificium placationis: et laudis: quod nos interueniente sancta tua semperque [177r] uirgine maria: cuius festiuitatem colimus: et perducat ad ueniam: et in perpetuam gratiarum constituat actionem .,. qui uiuis.

638

PREPHATIO. U+D usque gratias agere .,. Nos te in omnium sanctorum tuorum prouectu: et precipue pro tantis meritis: beate matris et perpetue uirginis marie: laudare. benedicere: et predicare .,. Que in tantum tuo [est] largifluo dotata charismate: ut et primam uirginei gloriam fulgoris arriperet: et innumeros suo exemplo: tibi uirginum flores acquireret .,. Insuper et dnm nrm ihm xpm filium tuum. ad redemptionem omnium pro[177v]crearet .,.

632: cf. CoP 323 B 161 Dold, Lesetexte 310. **633:** AMS 140 B lac.
634: ? B 161. **635:** cf. CoP 324 B 161.
636: AMS 140 B 161. **637:** cf. L 33 V– Gr– F 1852 B–.
638: L– V– Gr– cf. F 1287 B 161.

Merito itaque dignis preconiis totius orbis exultatione ueneratur. meritoque supernis ministeriis. hodierna die creditur celsa penetrasse polorum .,. Et ideo.

639

COMMUNIO. Dilexisti iustitiam et odisti iniquitatem. propterea uncxit te ds ds tuus.

640

ORATIO POST COMMUNIONEM. Mense celestis participes effecti: imploramus clementiam tuam dne ds nr. ut qui festa dei genitricis colimus; a malis imminentibus: eius intercessionibus liberemur .,. per.

LXV. TRANSLATIO BARTHOLOMEI APOSTOLI

641

ORATIO. Ds qui apostoli tui bartholomei. corpus: arca eius contra fluctus [178r] gestantes: ex india in liparim pro salute italorum transire uoluisti. concede qs: ut illius patrocinio tueamur: cuius reliquias laudibus frequentamur .,. per.

642

ORATIO SECRETA. Per hec misteria qs dne. que in commemoratione apostoli tui bartholomei offerimus. illo interueniente. a cunctis purgentur offensis .,. per.

643

ORATIO POST COMMUNIONEM. Sumpsimus dne pignus salutis eterne: celebrantes beati bartholomei apostoli tui: uotiua sollempnia: et perpetua merita uenerantes .,. per.

639: AMS 140 B 161.
640: L– V– Gr– F 1217 B 161.
641: – B–.
642: – B–.
643: L– cf. V 926 Gr– S 1122 B 164.

LXVI. DECOLLATIO SANCTI IOHANNIS BAPTISTE

Cant. require de unius martiris.

644

ORATIO. Ds qui precursorem filii tui tan[178v]to munere dedicasti. ut pro ipso etiam capite plecti mereretur. da nobis ex eius imitatione ueritatis fortes testes existere: et nullas aduersitates mundi formidare .,. per eundem.

645

LECTIO LIBRI APOCALIPSIS SCI IOHANNIS APOSTOLI (Apo 20,1–6): In diebus illis. Ego iohannes uidi angelum descendentem de celo. habentem clauem abissy ... in qua secunda mors non [179v] habet potestatem .,.

ALLELUIA. ℣. Posuisti dne. 646

647

SEQUENTIA SCI EUANGELII SECUNDUM MARCUM (Mc 6,17–29): In illo tempore. Misit herodes et tenuit iohannem ... et posuerunt illud in monumento .,. [180v]

OFFERTORIUM. Gloria et honore coronasti. 648

649

ORATIO SECRETA. Perpetuis nos dne sancti iohannis baptiste tuere presidiis: et quanto fragiliores sumus: tanto magis necessariis at[181r]tolle suffragiis .,. per.

COMMUNIO. Qui uult. 650

651

ORATIO POST COMMUNIONEM. Conferat nobis dne sancti iohannis baptiste: et martiris tui: utrumque sollempnitas: ut magnifica sacramenta que sumpsimus: et significata ueneremur: et in nobis potius edita gaudeamus .,. per.

644: – B 165.
645: CoP– B 165.
646: ? B–.
647: CoP 330 B 165 Dold, Lesetexte 311.
648: AMS 117 B 165.
649: cf. L 795 V– Gr– F 1271 B–.
650: AMS 27b B 165.
651: L– V 1012 Gr– F 1269 B 165.

LXVII. (MISSA IN) NATALE SCE MARIE

652

ORATIO. Supplicationes seruorum tuorum ds miseratus exaudi: ut qui in natiuitate dei genitricis et uirginis congregamur. intercessionibus eius complacatus: a te de instantibus periculis eruamur .,. per.

653

ORATIO SECRETA. Unigeniti tui dne nobis succurrat huma[181v]nitas. ut qui natus de uirgine matris integritatem non minuit: sed sacrauit. in natiuitatis eius sollempniis a nostris nos piaculis exuens: oblatio nostra tibi fiad accepta .,. per eundem.

654

ORATIO POST COMMUNIONEM. Sumptis dne sacramentis. intercedente beata et gloriosa semperque uirgine dei genitrice maria: ad redemptionis eterne: qs proficiamus augmentum .,. per eundem.

LXVIII. EXALTATIO SANCTE ATQUE UIUIFICE CRUCIS

INTROITUS. Nobis autem gloriari. 655

656

ORATIO. Deus qui nos hodierna die exaltatione sancte crucis annua sollempnitate letificas: presta: ut cuius misterium in terra cognouimus eius redemptionis premia consequi mereamur .,. per.

657

ISTUM APOSTOLUM REQUIRE IN PALME (Phil 2,5–11) [182r] Fratres: hoc enim sentite in uobis.

658

SEQUENTIA SCI EUANGELII SECUNDUM IOHANNEM (Jo 3,1–16): In illo tempore. Erat homo ex phariseis nicodemus nomine . . . qui credit in ipsum non pereat. set habeat uitam eternam .,. [183r]

652: L– V– Gr– F 1279 B 167.
653: L– V– Gr– F 1281 B 167.
654: L– V 1019 Gr– F 1288 B–.
655: AMS 150 B 168.
656: L– V 1023 Gr– B 168.
657: CoP 546 B 168 Dold, Lesetexte 312.
658: cf. CoP 220 B 168.

659

OFFERTORIUM. Protege dne pleuem tuam per lignum sancte [183v] crucis ab omnibus insidiis inimicorum omnium ut tibi gratam exibeamus seruitutem et acceptabile tibi fiat sacrificium nostrum alleluia.

660

ORATIO SECRETA. Deuotas dne humilitatis nostre preces et hostias misericordie tue precedat auxilium: et salutem quam per adam in paradiso ligni clauserat temerata presumptio. ligni rursum fides aperiat .,. (per.)

COMMUNIO. Nos autem gloriari oportet. 661

662

ORATIO POST COMMUNIONEM. Adesto familie tue qs clemens et misericors ds: ut in aduersis et prosperis. preces eius exau[184r]dias: et nephas aduersariorum. per auxilium sancte crucis digneris conterere: ut portum salutis tue ualeant apprehendere .,. per.

LXIX. DEDICATIO BEATI MICHAHELIS

INTROITUS. Benedicite dnm. 663

664

ORATIO. Ds cuius claritatis fulgore beatus michahel archangelus tuus precellit agminibus angelorum. presta qs. ut sicut ille tuo dono principatum meruit possidere celestem: ita nos eius precibus [adiuti] uitam optineamus eternam .,. per.

665

LECTIO LIBRI APOCALIPSIS IOHANNIS APOSTOLI (Apo 1, 1–6): In diebus illis. Significauit ds. que oportet fieri cito . . . ipsi gloria et imperium in secula seculorum. amen .,. [185r]

666

ALLELUIA. ℣. Qui facit angelos suos spiritus et ministros suos flammam ignis.

659: MR B 168. **660:** L– V 1024 Gr– B 168.
661: AMS 150 B 168. **662:** L– V 1025 Gr– B 168.
663: AMS 157 B 113. **664:** – B–. **665:** cf. CoP 367 B 113. **666:** ? B 113.

667
ISTUM EUANGELIUM REQUIRE IN MENSE MAG(IO). (Mt 18,1) In illo tempore. Accesserunt ad ihm discipuli eius.

668
OFFERTORIUM. Stetit angelus.

669
ORATIO SECRETA. Munus populi tui dne qs dignanter assume. quod non nostris meritis: sed sancti archangeli tui michahelis. deprecatione sit gratum .,. per.

670
COMMUNIO. Benedicite omnes angeli.

671
ORATIO POST COMMUNIONEM. Perpetuum nobis dne tue [185v] miserationis presta subsidium: quibus et angelica prestitisti suffragia non deesse .,. per.

LXX. MISSA IN SANCTI SYMONIS ET IUDE

672
ORATIO. Ds qui nos per beatos apostolos tuos symonem et iudam. ad cognitionem tui nominis uenire tribuisti. da nobis eorum gloriam sempiternam. et proficiendo celebrare. et celebrando proficere .,. per.

673
ORATIO SECRETA. Munera dne que pro apostolorum tuorum simonis et iude sollempnitate deferimus: propitius suscipe. et mala omnia que meremur auerte .,. per.

674
ORATIO POST COMMUNIONEM. Perceptis dne sacramentis suppliciter exoramus: ut [186r] intercedentibus beatis apostolis tuis symone et iuda. que pro illorum ueneranda gerimus passione. nobis proficiant ad medelam .,. per.

667: CoP 368 B (113 = Mt 18,1–10). **668:** AMS 157 B 113.
669: L 847 V 1035 Gr– B–. **670:** AMS 157 B 113.
671: L– V 1034 Gr– B–.
672: L 1497 V– Gr– S 1287 B–. **673:** L– V– Gr– S– AmB 1156 B 176.
674: L 1500 V– Gr– S 1291 B 176.

675

INTROITUS. Gaudeamus omnes in dno diem festum celebrantes sub honore sanctorum omnium de quorum commemoratione gaudent angeli et collaudant filium dei. PS. Gaudete iusti in dno.

676

ORATIO. Ds qui nos beate marie semper uirginis. et beatorum apostolorum. martirum. confessorum. uirginum. atque omnium simul sanctorum. continua letificas sollemni[186v]tate. presta qs: ut quos cotidiano ueneramur officio. etiam pie conuersatione sequamur exemplum .,. (per.)

677

LECTIO LIBRI APOCALIPSIS IOHANNIS APOSTOLI (Apo 7, 2–12): Ego iohannes uidi alterum angelum ascendentem ab ortu solis ... et fortitudo deo nostro in secula seculorum. amen .,. [187v]

678

ALLELUIA. [188r] ℣. Fulgebunt iusti et tamquam scintille in arundineto discurrent in eternum.

679

SEQUENTIA SCI EUANGELII SECUNDUM MATHEUM (Mt 5, 1–16): In illo tempore. Uidens ihs turbas ascendit in montem ... et glorificent patrem uestrum: qui est in celis .,. [189r]

OFFERTORIUM. Exultabunt sancti. 680

681

ORATIO SECRETA. Hostias offerimus tibi dne pro tuorum interpellatione sanctorum: conciuiumque celestium: [189v] presta: ut quorum ueneramur commemoratione. multipliciter eorum patrociniis incessanter protegamur et meritis .,. per.

682

PREPHATIO. U+D equum et salutare .,. Clementiam tuam suppli-

675: AMS 30 B 178.
676: L– V– Gr 856 SB 41 B–.
677: CoP– B–.
678: AMS 99 B 178.
679: cf. CoP 467 B 178.
680: cf. AMS 114 B 178.
681: – B–.
682: L– V– Gr– SB 34 B 178.

citer obsecrantes: ut cum exultantibus sanctis. in celestis regni cubilibus gaudia nostra coniungas .,. Et quos uirtutis imitatione sequi non possumus: deuite uenerationis contingamus effectum. per xpm dnm nrm .,.

683

COMMUNIO. Iustorum anime.

684

ORATIO POST COMMUNIONEM. Omips sempiterne ds. qui nos omnium sanctorum tuorum multiplici facis celebritate gaudere. concede qs: ut sicut illorum comme[190r]moratione temporali gratulamur officio. ita perpetuo letemur aspectu .,. per.

LXXII. MISSA IN SANCTI MARTINI

685

INTROITUS. Beatus martinus obitum suum longe ante presciuit dixitque fratribus dissolutionem sui corporis imminere quia indicauit se iam resolui. PS. Bonum est confiteri.

686

ORATIO. Omips sempiterne ds: sollempnitatem diei huius propitius intuere: et ecclesiam tuam intercessione beati martini confessoris tui atque pontificis: continua fac celebritate gaudere: omniumque in te credentium uota perficias .,. per.

687

SERMO UENERABILIS SEUERI DE UITA SANCTI MARTINI. [190v] In diebus illis. Cum beatus martinus ambianensium ciuitatem intraret: obuium habuit pauperem nudum .,. Qui cum pretereuntes ut sui misererentur oraret: omnesque miserum preterirent: intellexit uir deo plenus. sibi illum aliis misericordiam non prestantibus reseruare .,. Quid tamen ageret: cum nichil siui preter clamidem qua indutus erat haberet. iam enim reliqua in opus simile con-

683: AMS 97 B 178. **684:** L– V– Gr– SB 35 B–. **685:** ? B 183.
686: L– V– Gr– S 1319 T 2669 B–; *huius* später hineingebessert.
687: B 183; siehe Gamber, Väterlesungen; der Satz *Partemque eius* wurde in kleiner Schrift nachgetragen und teilweise über den Rand geschrieben; erronee: *t*[*i*]*buit*.

sumpserat .,. Arrepto itaque ferro quo accinctus erat: mediam diuidit. Partemque eius pauperi tribuit. reliqua rursus induitur .,. Interea de circumstantibus ridere [191r] nonnulli. quia deformis esset: et truncatus habitu uideretur .,. Multi tamen quibus erat mens sanior gemere altius: quod nichil simile fecissent: cum utique plus habentes: uestire pauperem sine sua nuditate potuissent .,. Nox igitur insecuta: cum se sopori dedisset: uidit xpm clamidis sue qua pauperum texerat parte uestitum .,. Intueri diligentissime dnm: uestemque quam dederat pauperi iuuetur agnoscere .,. Mox ad angelorum circumstantium multitudinem: audiuit ihm clara uoce dicentem: martinus [191v] adhuc cathecuminus hac me ueste contexit .,. Uere memor dictorum suorum que ante predixerat. quamdiu fecisti hec uni ex minimis istis michi fecistis: se in pauperem professus est esse uestitum .,. Et ad confirmandum tam boni operis testimonium in eodem se habitu. quem pauper acceperat: est dignatus ostendere .,. Quo uiso uir beatissimus: non in gloriam est elatus humanam: sed dei bonitatem in suo opere cognoscens. relicta militia: statim ad baptismum conuolauit .,.

688

GRADUALE. Dixerunt discipuli ad beatum martinum cur nos pater deseris aut [192r] cur nos desolatos relinquis. ℣. Inuadent enim gregem tuum lupi rapaces.

689

ALLELUIA. ℣. Oculis ac manibus in celum semper intentis inuictu ab oratione spiritum non relaxabat.

690

SEQUENTIA SCI EUANGELII SECUNDUM LUCAM (Lc 19,12–26): In illo tempore. Homo quidam nobilis abiit in regionem longinquam . . . et quod uidetur habere: auferetur ab eo .,. [193v]

691

OFFERTORIUM. O uirum ineffabilem nec labore uictum nec morte uincendum qui nec mori timuit nec uiuere recusauit.

688, 689: ? B 183. **690:** CoP– B 183.
691: ? B 183.

692

ORATIO SECRETA. Sancti martini confessoris tui atque pontificis: qs dne annua sollempnitas: pietatis tue nos reddat acceptos: ut per hec pie oblationis officia. et illum beate retributio[194r]nis comitetur: et nobis gratie tue dona conciliet .,. per.

693

COMMUNIO. Sacerdos dei martine pastor egregie ora pro nobis deum.

694

ORATIO POST COMMUNIONEM. Sumpsimus dne pignus redemptionis eterne: sit nobis qs interueniente beato martino confessore tuo: uite presentis auxilium: pariter et future .,. per.

LXXIII. UIGILIA SANCTI ANDREE APOSTOLI

INTROITUS. Michi autem nimis. 695

696

ORATIO. Tuere nos omips et misericors ds: et beati andree apostoli tui: cuius natalicia preuenimus: semper guberna presidiis .,. per.

697

LECTIO LIBRI SAPIENTIE (Eccli 44,25–27; 45,2–4,6–9): [194v] Benedictio dni super caput iusti: ideo dedit illi dns hereditatem: et diuisit ei partem in tribus duodecim: et inuenit gratiam in conspectu inimicorum. et in uerbis suis monstra placauit .,. Glorificauit illum in conspectu regum: et ostendit illi gloriam suam .,. In fide et lenitate ipsius. sanctum fecit illum: et elegit eum ex omni carne .,. Dedit illi precepta et legem uite et dicipline. et excelsum fecit illum .,. Statuit testamentum eternum: et circumcincxit eum zona iustitie: et in[195r]duit eum dns coronam glorie .,.

698

ALLELUIA. ℣. In omnem terram exiuit. sonus.

692: – cf. S 694 B–. **693:** ? B 183.
694: L 741 V– Gr– S– cf. T 2299 B 183.
695: AMS 169. **696:** L– V 1076 Gr–.
697: CoP 390. **698:** ?.

699

SEQUENTIA SCI EUANGELII SECUNDUM IOHANNEM (Jo 1,35–51): In illo tempore. Stabat iohannes et ex discipulis eius duo ... et descendentes super filium hominis .,. [196v]

700

OFFERTORIUM. Gloria et honore coronasti eum.

701

ORATIO SECRETA. Sacrandum tibi dne munus offerimus: quo beati andree sollempnia recolentes: purificationem quoque nostris mentibus imploramus .,. per.

702

COMMUNIO. Dicit andreas simoni fratri suo inuenimus messiam qui dicitur christus et adduxit eum ad hiesum.

703

ORATIO POST COMMUNIONEM. [197r] Tribue qs dne familie tue: ut exultatione cordis sui: quam beati andree apostoli tui ueneratione percepit: et secura concelebret: et tota mente semper sectetur .,. per.

LXXIV. (MISSA IN) NATALE EIUSDEM

704

INTROITUS. Dns secus mare galilee uidit duos fratres petrum et andream et uocauit eos uenite post me faciam uos fieri piscatores hominum. PS. Celi enarrant.

705

ORATIO. Maiestatem tuam dne suppliciter exoramus: ut sicut ecclesie tue beatus andreas apostolus extitit predicator et rector. ita apud te sit pro [197v] nobis perpetuus intercessor .,. per.

706

(LECTIO) REQUIRE IN PLURIMORUM APOSTOLORUM (Rom 10,10): Fratres. Corde enim creditur ad iustitiam.

699: CoP 391. **700**: MR.
701: L 1225 V– Gr 615. **702**: AMS 169.
703: L 1223 V– Gr–.
704: AMS 168. **705**: L 1234 V 1080 Gr 618.
706: CoP 392 (Rom 10,10–18) Dold, Lesetexte 314.

ALLELUIA. ℣. Dilexit andream dns in odorem suauitatis. 707

708

SEQUENTIA SCI EUANGELII SECUNDUM MATHEUM (Mt 4,18–22): In illo tempore. Ambulans dns ihs. iuxta mare galilee. Uidit duos fratres ... Illi autem statim relictis retibus et patre. secuti sunt eum .,. [198r]

OFFERTORIUM. Michi autem nimis honori(ficati). 709

710

ORATIO SECRETA. Sacrificium nostrum tibi dne qs beati andree precatio sancta conciliet. ut cuius honore sollempniter exibetur. meritis efficiatur acceptum .,. per.

711

COMMUNIO. Uenite post me faciam uos piscato[190v]res hominum at illi relictis retibus et naui secuti sunt dnm.

712

ORATIO POST COMMUNIONEM. Beati andree apostoli tui dne qs: intercessione nos adiuua. pro cuius sollempnitate precepimus: tua sancta letantes .,. per.

LXXV. MISSA IN UNIUS APOSTOLI

713

INTROITUS. Iustus ut palma floreuit sicut cedrus libani multiplicabitur plantatus in domo dni in atriis domus dei nostri. PS. Bonum est confiteri.

714

ORATIO. Da nobis qs dne beati apostoli tui. ill: sollempnitate gloriari: ut eius semper et patrociniis adiubemur: et fidem con[199r]grua deuotione sectemur .,. per.

707: MR. 708: CoP 393 Dold, Lesetexte 314. 709: AMS 169.
710: L– V 1082 Gr 619. 711: AMS 168. 712: L– V 1084 Gr–.
713: AMS 118a B 202. 714: L 700 V 1088 Gr– B–.

715

LECTIO EPISTOLE BEATI PAULI APOSTOLI AD EPHESIOS (Eph 2, 19–22): Fratres. Iam non estis hospites et aduene . . . in habitaculum dei in spiritu sancto .,.

716

GRADUALE. In omnem terram exiuit sonus eorum et in fines orbis terre uerba eorum. [199v] ℣. Celi enarrant gloriam dei et opera manuum eius annuntiat firmamentum.

717

ALLELUIA. ℣. Nimis honorati sunt amici tui ds nimis confortatus est principatus eorum.

718

SEQUENTIA SCI EUANGELII SECUNDUM IOHANNEM (Jo 15, 12–16): In illo tempore. Hoc est preceptum meum. ut diligatis inuicem . . . in nomine meo det uobis .,. [200r]

719

OFFERTORIUM. Michi autem nimis honorificati sunt amici tui ds [200v] nimis confortatus est principatus eorum.

720

ORATIO SECRETA. Sacrandum tibi dne munus offerimus. quo beati ill. apostoli tui sollempnia recolentes. purificationem quoque nostris mentibus imploramus .,. per.

721

COMMUNIO. Amen dico uobis quod uos qui reliquistis omnia et secuti estis me centuplum accipietis et uitam eternam possidebitis.

722

ORATIO POST COMMUNIONEM. Perceptis dne sacramentis suppliciter exoramus: et intercedente beato apostolo tuo. ill: que pro illius ueneranda geri[201r]mus sollempnitate: nobis proficiant ad medellam .,. per.

715: CoP 451 B lac. **716**: AMS 121. **717**: AMS 122b.
718: CoP 455. **719**: AMS 121. **720**: cf. L 1225 V– Gr 829.
721: AMS 123. **722**: L 1500 V 945 Gr 830.

723

INTROITUS. Michi autem nimis honorati sunt amici tui ds nimis confortatus est principatus eorum. PS. Dne probasti me.

724

ORATIO. Ds qui nos annua apostolorum tuorum ill. et ill. sollempnitate letificas: presta qs: ut quorum gaudemus meritis instruamur exemplis .,. per.

725

LECTIO EPISTOLE BEATI PAULI APOSTOLI AD ROMANOS (Rom 10, 10–18): Fratres. Corde enim creditur ad iustitiam: ore autem confessio . . . et in fines orbis terre uerba eorum .,. [202r]

726

GRADUALE. Nimis honorati sunt amici tui ds nimis confortatus est principatus eorum. ℣. Dinumerabo eos et super arenam multiplicabuntur.

727

ALLELUIA. ℣. Beati qui perse[202v]cutionem patiuntur propter iustitiam quoniam ipsorum est regnum celorum.

728

SEQUENTIA SCI EUANGELII SECUNDUM IOHANNEM (Jo 15,17–25): In illo tempore. Hec mando uobis: ut diligatis inuicem . . . quia odio habuerunt me gratis .,. [203v]

729

OFFERTORIUM. In omnem terram exiuit sonus eorum et in fines orbis terre uerba eorum.

730

ORATIO SECRETA. Munera dne que pro beatorum apostolorum tuorum ill. et ill. sollempnitate deferimus: propitius suscipe: et mala omnia que meremur auerte .,. per.

723: AMS 160. **724:** L– V– Gr 831. **725:** CoP 454.
726: AMS 160. **727:** ?. **728:** CoP 456.
729: ? **730:** L– V– Gr 832.

731

COMMUNIO. Uos qui secuti estis me dicit dns sedebitis super sedes iudicantes duodecim tribus israhel alleluia alleluia.

732

ORATIO POST COMMUNIONEM. Sumpto dne sacramento: suppliciter deprecamur: ut [204r] intercedentibus beatis apostolis tuis ill. et ill. quod temporaliter gerimus. ad uitam capiamus eternam .,. per.

LXXVII. (MISSA IN) UNIUS MARTIRIS

733

INTROITUS. Letauitur iustus in dno et sperauit in eo et laudabuntur omnes recti corde. PS. Exaudi ds orationem.

734

ORATIO. Uotiuos nos dne qs: beati martiris tui. ill: natalis semper excipiat. qui et iocunditatem nobis sue glorificationis infundat: et tibi nos reddat acceptos .,. per.

735

LECTIO LIBRI SAPIENTIE (Sap 10, 10–14): Iustum deduxit dns per uias rectas ... Et dedit illi claritatem eternam dns ds nr. [205r]

736

GRADUALE. Iustus non conturbabitur quia dns firmat manum eius. ℣. Tota die miseretur et commodat et semen eius in benedictione erit.

737

ALLELUIA. ℣. Posuisti dne super caput eius coronam de lapide pretioso.

738

SEQUENTIA SCI EUANGELII SECUNDUM LUCAM(!) (Mt 16, 24–26 + Lc 9, 26–27): [205v] In illo tempore. Si quis uult post me uenire abneget se[med]ipsum. et tollat crucem suam cotidie et sequatur me .,. Qui enim uoluerit animam suam saluam facere: perdet illam .,. Nam qui perdiderit animam suam propter me. saluam faciet illam .,. Quid enim proficit homi[ni] si lucretur uniuersum

731: AMS 160. 732: cf. L 340 V 941 Gr–.
733: AMS 27a. 734: L– V– Gr– S 1466. 735: CoP–.
736: AMS 131. 737: AMS 270 (als Graduale). 738: CoP–.

mundum. se ipsum autem perdat: et detrimentum sui faciat .,. Nam qui me erubuerit: et meos sermones. hunc filius hominis erubescet. cum uenerit in maiestate sua: et patris: et sanctorum angelorum .,. Dico autem uobis: uere sunt aliqui hic stan[206r]tes qui non gustabunt mortem: donec uideant regnum dei .,.

739

OFFERTORIUM. Gloria et honore coronasti eum et constituisti eum super opera manuum tuarum dne.

740

ORATIO SECRETA. Presentia munera qs dne ita serena pietate intuere: ut et sancti spiritus perfundantur benedictione: in nostris cordibus etiam dilectionem ualidam infundant. per quam sanctus martir. ill. omnia corporis tormenta deuicit .,. per.

741

COMMUNIO. Magna est gloria eius in salutari tuo. gloriam et magnum decorem impone [206v] super eum dne.

742

ORATIO POST COMMUNIONEM. Sumpsimus dne sci. ill. martiris [tui] sollempnitate celestia sacramenta. cuius suffragiis qs largiaris: ut quod temporaliter gerimus eternis gaudiis consequamur .,. per.

LXXVIII. MISSA IN PLURIMORUM MARTIRUM

743

INTROITUS. Iusti epulentur exultant in conspectu dei delectentur in letitia. PS. Exurgat ds.

744

ORATIO. Ds qui nos concedis sanctorum martirum tuorum. ill. et ill. natalicia colere: da nobis in eterna beatitudine de eorum societate gaudere .,. per.

739: AMS 27b; erronee: *tuarumrum*.
740: L– V– Gr– S 1468. **741:** AMS 13. **742:** L– V– Gr– S 1470.
743: AMS 138. **744:** L– V– Gr 837.

745

LECTIO LIBRI SAPIENTIE (Sap 3, 1–8): Iustorum anime in manu dei sunt: et non tanget illos tor[207r]mentum ... et regnauit dns illorum in perpetuum .,. [207v]

746

GRADUALE. Iustorum anime in manu dei sunt et non tanget illos tormentum malitie. ℣. Uisi sunt oculis insipientium mori illi autem sunt in pace.

747

ALLELUIA. ℣. Fulgebunt iusti et tamquam scintille in arundineto discurrent in eternum.

748

SEQUENTIA SCI EUANGELII SECUNDUM LUCAM (Lc 21, 9–19): [208r] In illo tempore. Cum audieritis prelia et seditiones ... In patientia uestra possidebitis animas uestras .,. [208v]

749

OFFERTORIUM. Exultabunt sancti in gloria letabutur in cubilibus suis exultationes dei in faucibus eorum. [209r]

750

ORATIO SECRETA. Salubri sacrificio dne populus tuus semper exultet. quo et deuitus honor sacris martiribus exhibetur. et sanctificationis tue munus acquiritur .,. per.

751

COMMUNIO. Iustorum anime in manu dei sunt et non tanget illos tormentum malitie uisi sunt oculis insipientium mori illi autem sunt in pace.

752

ORATIO POST COMMUNIONEM. Celebrantes dne diuina misteria. que pro martirum tuorum ill. et ill. beata passione peregimus ipsorum nobis qs fiant intercessione salutaria. in quorum nataliciis sunt exultanter impleta .,. per. [209v]

745: CoP 477; erronee: *im perpetuum*.
746: AMS 138.
747: AMS 99.
748: CoP 483.
749: AMS 114.
750: –.
751: AMS 97.
752: –; Oratio von anderer Hand.

753

INTROITUS. Os iusti meditabitur sapientiam et lingua eius loquetur iudicium lex dei eius in corde ipsius. PS. Noli emulari in (malignantibus).

754

ORATIO. Adesto dne supplicationibus nostris quas in sancti confessoris tui. ill. commemoratione deferimus. ut qui nostre iustitie fiduciam non habemus: eius qui tibi placuit precibus adiuuemur .,. per.

755

LECTIO LIBRI SAPIENTIE (Cento aus Eccli 44,16–27; 45,3–20): Ecce sacerdos magnus qui in diebus suis placuit deo... et offerre illi incensum dignum in odorem suabitatis .,. [210v]

756

GRADUALE. Ecce sacerdos magnus qui in diebus suis placuit deo. ℣. Non est inuentus similis illi qui conseruaret legem excelsi.

757

ALLELUIA. ℣. Elegit te dns sibi in sacerdotem magnum in populo suo.

758

SEQUENTIA SCI EUANGELII SECUNDUM MATHEUM (Mt 24,42–47): [211r] In illo tempore. Uigilate ergo: quia nescitis qua hora dns uester uenturus sit . . . quoniam super omnia bona sua constituet eum .,. [211v]

759

OFFERTORIUM. Inueni dauid seruum meum et in oleo sancto uncxi eum manus enim mea auxiliabitur ei et brachium meum confortauit eum.

753: AMS 20. 754: –S 1475. 755: CoP–. 756: AMS 16a.
757: AMS 132; die letzten drei Zeilen von fol. 210v nicht beschrieben, die Schrift der recto-Seite durchscheinend.
758: CoP 422. 759: AMS 132.

760

ORATIO SECRETA. Propitiare qs dne supplicationibus nostris: et interueniente pro nobis sancto ill. confessore tuo his sacramentis celestibus seruientes: ab omni culpa liberos esse concede: ut uiuificante nos gratia tua: hisdem quibus famulamur misteriis emundemur .,. per.

761

COMMUNIO. [212r] Beatus seruus quem cum uenerit dns inuenerit uigilantem amen dico uobis super omnia bona sua constituet eum.

762

ORATIO POST COMMUNIONEM. Ut nobis dne tua sacrificia dent salutem: beatus confessor tuus. ill: qs precator accedat .,. per.

LXXX. MISSA IN PLURIMORUM CONFESSORUM

763

ORATIO. Ds qui nos sanctorum illorum: confessionibus gloriosis circumdas et protegis: da nobis eorum imitatione proficere: et intercessione gaudere .,. per.

764

ORATIO SECRETA. Accepta tibi sit in conspectu tuo dne: nostre deuotionis oblatio: et eorum nobis fiad supplicatione salutaris: pro [212] quorum sollempnitate defertur .,. per.

765

ORATIO POST COMMUNIONEM. Exaudi nos omips et misericors ds. et sanctorum tuorum nos ubique tuere presidiis .,. per.

760: –S 1477; erronee: *celestisbus*.
761: AMS 16b.
762: L– V– Gr– S 1479.
763: L– V– Gr 843 S–.
764: L– V 1111 Gr– S–.
765: L– V– Gr– S 1498.

766

INTROITUS. Dilexisti iustitiam et odisti iniquitatem propterea uncxit te ds ds tuus oleo letitie pre consortibus tuis. PS. Eructauit.

767

ORATIO. Ds qui nos hodie beate. ill. uirginis et martiris tue. annua sollempnitate letificas. concede propitius: ut eius adiuuemur meritis: cuius castitatis irradiamur exemplis .,. per.

768

LECTIO LIBRI SAPIENTIE (Eccli 51, 13–17): [213r] Dne ds meus exaltasti super terram habitationem meam . . . et laudem dicam nomini tuo dne ds nr .,.

769

GRADUALE. Dilexisti iustitiam et [213v] odisti iniquitatem. ℣. Propterea uncxit te ds ds tuus oleo letitie.

770

ALLELUIA. ℣. Diffusa est gratia in labiis tuis propterea benedixit te ds in eternum.

771

ISTUM EUANGELIUM REQUIRE (IN) INUENTIO SCE CRUCIS. (Mt 13, 44): In illo tempore. Simile est regnum celorum thesauro.

772

OFFERTORIUM. Offerentur regi uirgines post eam proxime eius offerentur tibi.

773

ORATIO SECRETA. [214r] Hostias tibi dne beate. ill. martiris tue dicatas meritis benignus assume. et ad perpetuum nobis tribue prouenire subsidium .,. per.

774

COMMUNIO. Diffusa est gratia in labiis tuis propterea benedixit te ds in eternum.

775

ORATIO POST COMMUNIONEM. Adiubent nos qs dne et hec misteria sancta que sumpsimus. et beate. ill: intercessio ueneranda .,. per.

766: Gesänge AMS 3.
767: L– V– Gr– S 1484.
768: CoP 486.
771: Mt 13,44–52 = CoP 487.
773: L– V– cf. Gr 535 S 1485.
775: L– V 828 Gr– S 1487.

LXXXII. MISSA IN PLURIMARUM UIRGINUM

776

INTROITUS. Gaudeamus omnes in dno diem festum celebrantes sub onore sanctorum omnium de quarum passione gaudent angeli et collaudant fi[214v]lium dei. PS. Eructauit cor meum.

777

ORATIO. Omips sempiterne ds: qui infirma mundi eligis: ut fortiaque confundas: concede propitius: ut qui beate. ill. et ill. martires tue sollempnia colimus eius apud te patrocinia sentiamus .,. per.

778

LECTIO LIBRI SAPIENTIE (Eccli 51, 1–8, 12): Confitebor tibi dne rex et collaudabo te deum . . . Et liberas eos de manu angustie dne ds nr .,. [216r]

779

GRADUALE. Audi filia et uide [216v] et inclina aurem tuam quia concupiuit rex speciem tuam. ℣. Specie tua et pulchritudine tua intende et prospere procede et regna.

780

ALLELUIA. ℣. Adducentur regi uirgines post eam proxime eius offerentur tibi in letitia.

781

SEQUENTIA SCI EUANGELII SECUNDUM MATHEUM (Mt 25, 1–13): [217r] In illo tempore. Simile est regnum celorum decem uirginibus . . . [218r] uigilate itaque quia nescitis diem neque horam .,.

OFFERTORIUM. Offerentur regi. 782

783

ORATIO SECRETA. Hodiernum dne sacrificium: letantes obsequimur. quo in beate. ill. et ill. martires tue celestem uictoriam recensentes: et tua magnalia predicantes. tua nos acquisisse gaudemus suffragia gloriosa .,. (per.)

776: AMS 30.
777: L– V– Gr– S 1194.
778: CoP 485.
779: AMS 165a.
780: AMS 165b.
781: CoP 488.
782: AMS 165b.
783: L– V 824 Gr– S 149.

784

COMMUNIO. Quinque prudentes uirgines acceperunt oleum in uasis suis cum lampadibus media nocte clamor factus est ecce sponsus uenit exite obuiam xpo dno.

785

ORATIO POST COMMUNIONEM. Da qs omips ds: ut qui beate [218v] ill. et ill. martires tue. natalicia colimus. et annua sollempnitate letemur. et tante fidei proficiamus exemplo .,. per.

LXXXIII. (MISSA DE SANCTA MARIA) [215r]

786

(ORATIO). Ds qui salutis eterne beate marie uirginitate fecunda humano generi premia prestitisti tribue qs ut ipsa pro nobis intercedere senciamus per quam meruimus auctorem uitae suscipere dnm nrm. per.

787

(ORATIO SECRETA). Muneribus nostris qs dne precibusque susceptis et celestibus nos munda mysteriis. et clementer exaudi. per.

788

(ORATIO POST COMMUNIONEM). Hec nos communio dne purget a crimine et celestis remedii faciet et consortes. per.

LXXXIV. MISSA IN DEDICATIONE

789

INTROITUS. Terribilis est locus iste hic domus dei est et porta celi et uocabitur aula dei. PS. Magnus dns et laudabilis.

790

ORATIO. Ds qui inuisibiliter omnia continens: et tamen pro salute generis humani signa tue potentie uisibiliter ostendis. templum hoc potentia tue inhabitationis illustra: ut omnes qui huc deprecaturi conueniunt: ex quacumque ad te tribulatione clamauerint. consolationis [219r] tue beneficia consequantur .,. per.

784: AMS 25.
785: L– V– Gr– S 132.
786: L– V– Gr 49.
787: cf. L 1124 cf. V 672 Gr 50.
788: L 876 V– Gr 51; *faciet et* cor. *faciat esse*; Das Formular steht auf einem der Breite nach eingeklebten Streifen mit der durchlaufenden, senkrecht zum Text stehenden Seitenzahl 215. Die Schrift ist eine karolingische Minuskel. Die Rückseite des Blattes ist leer.
789: AMS 100.
790: L– V– Gr– T 3155.

791
LECTIO LIBRI APOCALIPSIS IOHANNIS APOSTOLI (Apo 21,2–5): In diebus illis: Uidi ciuitatem sanctam hierusalem nouam ... [219v] qui sedebat in throno: ecce noba facio omnia.

792
ALLELUIA. ℣. Dne dilexi decorem domus tue et locum tabernaculis(!) glorie tue.

793
SEQUENTIA SCI EUANGELII SECUNDUM LUCAM (Lc 19,1–10): In illo tempore. Egressus ihs perambulabat hiericho ... et saluum facere quod perierat .,. [220v]

794
OFFERTORIUM. Dne ds in simplicitate cordis mei letus optuli uniuersa et populum tuum qui repertus est uidi cum ingenti gaudio ds hisrahel custodi hanc uoluntatem.

795
ORATIO SECRETA. Altaria hec dne que sacrificiis celestibus inchoando reuerenter aptamus: concede qs: ut grata semper oculis tue maiestatis appareant. et salutaria [221r] fieri populis christianis: beatus: ill. per quem tibi dicantur optineat .,. per.

796
COMMUNIO. Domus mea domus orationis uocabitur dicit dns in ea omnis qui petit accipit et qui querit inuenit et pulsanti aperietur.

797
ORATIO POST COMMUNIONEM. Qs omips ds: ut hoc in loco quem nomini tuo indigni dedicauimus: cuntis petentibus: aures tue pietatis accomodes .,. per.

LXXXV. MISSA PRO PLUUIA

798
INTROITUS. Dne rex ds abraham dona nobis pluuiam super faciem terre ut discat populus iste quia tu es dns ds nr. PS. Dne refugium. [221v]

791: CoP 494. **792**: ?. **793**: CoP 498. **794**: AMS 100.
795: –. **796**: AMS 100. **797**: L– V– Gr– T 3160; *aures* von anderer Hand hinzugefügt. **798**: AMS 204a.

799

ORATIO. Omips sempiterne ds: qui saluas omnes et neminem uis perire: aperi fontem benignitatis tue: et terram aridam: aquis fluentibus celestis dignanter infunde .,. per.

800

LECTIO HIEREMIE PROPHETE (Jer 13,27–14,2–9): Hec dicit dns: Ue tibi hierusalem: non mundaueris post me usque adhuc . . . et nomen tuum super nos inuocatum est. ne derelinquas nos dne ds nr .,. [222v]

ALLELUIA. ℣. Dne exaudi orationem. 801

802

SEQUENTIA SCI EUANGELII SECUNDUM MARCUM (Mc 4,35–40): In illo tempore. Cum sero esset factum. dixerunt discipuli ad ihm: transeamus contra et dimittentes turbam . . . quia uenti et mare. obediunt ei .,. [223r]

803

OFFERTORIUM. Respice dne quia aruit terram rugiunt iumenta quia defecerunt pascua iam miserere dne et excita pluuiam ut non arescat [223v] quod plantauit dextera tua.

804

ORATIO SECRETA. Oblatis dne placare muneribus: et oportunum tribue nobis pluuie sufficientis auxilium .,. per.

805

COMMUNIO. Numquid est in idolis gentium qui pluant aud celi possunt dare pluuiam nisi tu uolueris. tu es dns ds nr quem expectamus dona nobis pluuiam.

806

ORATIO POST COMMUNIONEM. Dne ds omips: qui solus das pluuiam super terram: solus eam mittis ab inferiora celorum: dona seruis tuis beneficium: pluuiale. ut quod nostra facinora suspenderunt: tuo munere prerogetur .,. per.

799: L– V– Gr– M 995.
800: CoP–.
801: ?
802: CoP–.
803: AMS 204a.
804: L– V 1405 Gr 894 M 996.
805: AMS 204a.
806: –.

LXXXVI. (MISSA IN DEDICATIONE ANNIUERSARIA)

807

(ORATIO). [224r] Ds qui nobis per singulos annos. huius sancti templi tui consecrationis reparas diem. et sacris semper misteriis representas incolumes. exaudi preces populi tui et presta. ut si quis hoc templum beneficia petiturus ingreditur. cuncta se inpetrasse letetur .,. per.

808

(ORATIO SECRETA). Annue precibus nostris omips ds. et has oblationes quas tibi pro anniuersaria huius templi consecratione deferimus. benignus assume. et presta. ut omnibus hic ad te concurrentibus cunctorum tribuatur remissio peccatorum .,. per.

809

(ORATIO POST COMMUNIONEM). Concede nobis omips ds. ut qui diem consecrationis huius templi annua celebritate recolimus. ipsi quoque per sanctificationem tui spiritus. tibi habitaculum effici mereamur .,. per.

LXXXVII. (MISSA IN HONORE SANCTE MARIE) [224v]

810

ORATIO. Ds qui de beate marie uirginis utero uerbum tuum angelo annuntiante carnem suscipere uoluisti. presta supplicibus tuis. ut qui uere eam genitricem dei credimus. eius aput te intercessionibus adiuuemur. per eundem .,.

811

ORATIO SECRETA. In mentibus nostris dne uere fidei sacramenta confirma. ut qui conceptum de uirgine deum uerum et hominem confitemur. per eius salutifere resurrectionis potentiam. ad eternam mereamur peruenire letitiam. per eundem .,.

807: L– V– Gr– F 2142; diese Seite ist von späterer Hand nachgetragen.
808: L– V– Gr– F 2143. **809:** L– V– Gr– F–.
810: L– V– Gr– H 31,1; wieder von erster Hand.
811: L– V– Gr– H 31,3.

812

ORATIO POST COMMUNIONEM. Gratiam tuam qs dne mentibus nostris infunde. ut qui angelo nuntiante xpi filii tui incarnationem cognouimus: per passionem eius et crucem: ad resurrectionis gloriam perducamur .,. per eundem. [225r]

LXXXVIII. (PRO FIDELIBUS DEFUNCTIS)

813

(OFFERTORIUM.) O pie ds qui primum hominem ad eternam patriam reuocasti pastor bone qui ouem perdita pio humero ad ouile reportasti iuste iudex dum ueneris iudicare libera de morte animas eorum quas redemisti. Ne tradas bestiis. animas confitentes tibi ne derelinquas eas in finem. ℣. Dne ihu xpe iudex mortuorum una spes mortalium qui moriens [morientium] condoluisti interitui ne intres in iudicio cum seruis et ancillis tuis ne dampnentur cum impiis in aduentu tui districti iudicii. Ne tradas. [225v]

LXXXIX. ORATIO PRO EPISCOPO

814

ORATIO. Presta qs dne ut animam famuli tui ill. episcopi. que in hoc seculo commorante. sacris muneribus decorasti. celesti sede gloriosa semper exultet .,. per.

815

ORATIO SECRETA. Suscipe dne qs pro anima famuli tui. ill: episcopi quas offerimus hostias. ut cui pontificale donasti premium. dones et meritum .,. per.

816

ORATIO POST COMMUNIONEM. His sacrificiis qs omips ds: purgata anima et spiritu famuli tui. ill. episcopi. ad indulgentiam et refrigerium sempiternum peruenire mereatur .,. per.

812: L– V– Gr– H 31,4. **813:** ? mit Neumen.
814: L 1159 V 1633 Gr–; dieses Formular ist von derselben Hand wie fol. 224r geschrieben.
815: L 1157 V 1630 Gr 917. **816:** L– V– Gr 918.

XC. MISSA PRO PLURIMORUM DEFUNCTORUM

817

INTROITUS. Respice [dne] in testamentum tuum et animas pauperum tuorum ne derelinquas in finem. exurge dne et iudica causam tuam et ne obliuiscaris uoces querentium te. PS. Ut quid (ds) re(ppulisti).

818

ORATIO. [226r] Propitiare dne qs animabus famulorum famularumque tuarum. misericordiam sempiternam: ut mortis nexibus expeditas: lux eas eterna possideat .,. per.

819

ORATIO. Maiestatem tuam dne supplices exoramus: ut anime famulorum famularumque tuarum: ab omnibus que humanitatis: commiserunt exute: in tuorum censeantur sorte iustorum .,. per.

820

ORATIO. Ds in cuius miseratione anime fidelium requiescunt: famulis famulabusque tuis: uel omnibus in xpo quiescentibus: da propitius ueniam delictorum: ut a cunctis rea[226v]tibus absoluti: sine fine letentur .,. per.

821

ALIA ORATIO. Fidelium ds animarum conditor et redemptor. animabus famulorum tuorum. omnium episcoporum sacerdotum. diaconorum abbatum canonicorum. monachorum genitorum seu parentum nostrorum nec non et eorum qui se in nostris orationibus commendauerunt et qui nobis suas largiti sunt. helemosinas. uel omnium utriusque sexus fidelium defunctorum remissionem cunctorum tribue peccatorum. ut indulgentiam quam semper optauerunt. piis supplicationibus consequantur .,. (per.) [227r.]

822

LECTIO LIBRI MACHABEORUM (II Mach 12,42–46): In diebus illis: Uir fortissimus iuda collatione facta . . . pro defunctis exorare ut a peccatis soluerentur .,.

823

GRADUALE. [227v] Respice dne in testamentum tuum et animas pauperum tuorum ne obliuiscaris in finem ℣. Exurge dne et iudica causam tuam memor esto opprobrii seruorum tuorum.

824

SEQUENTIA SCI EUANGELII SECUNDUM IOHANNEM (Jo 5,25–30): In illo tempore. Amen amen dico uobis: quia uenit hora et nunc est . . . sed uoluntatem eius qui misit me patris .,. [228r]

825

OFFERTORIUM. Benedicite gentes dnm dm nrm et obaudite uoci laudis eius qui posuit animam meam ad uitam et non dedi commoueri pedes meos. Benedictus dns qui non amouit deprecationem meam et misericordiam suam a me. Alleluia.

817: AMS 185a. Mit diesem Formular beginnt eine andere Hand; nur Introitus und Communio mit Neumen.
818: L– V– Gr– F 2566 **819:** L– V 1672 Gr– F 2571. **820:** L– V– Gr 928.
821: cf. L 1150 cf. V 1671 cf. Gr 937; *animarum* und *animabus famulorum tuorum* auf Rasur von anderer Hand.
822: CoP 489. **823:** AMS 185a. **824:** CoP–. **825:** AMS 63a.

826
ORATIO SECRETA. Hostias tibi dne humili placatione deferimus: ut anime [228v] famulorum famularumque tuarum: per hec placationis officia: tuam misericordiam consequantur .,. per.

827
ORATIO SECRETA. Munera qs dne que tibi pro requie animabus famulorum famularumque tuarum. omnium in xpo quiescentium offerimus: ad earum redemptionem proficiant .,. per.

828
ORATIO SECRETA. Pro animabus famulorum famularumque tuarum. et hic omnium dormientium catholicorum: hostiam dne suscipe benignus oblatam: ut hoc sacrificio singulari uinculis horrende mortis exute: uitam mereantur eternam .,. per.

829
ORATIO SECRETA. Hostias qs dne quas tibi [129r] pro animabus famulorum tuorum omnium episcoporum sacerdotum diaconorum: abbatum: canonicorum. monachorum. genitorum seu parentum nostrorum. nec non et eorum qui se in nostris commendauerunt orationibus: et qui nobis suas largiti sunt helemosinas. siue omnium fidelium utriusque sexus defunctorum offerimus: propitiatus intende: et quibus fidei christiane meritum contulisti dones et premium .,. (per).

830
COMMUNIO. Ego sum resurrectio.

831
ALIA. Pro quorum memoria corpus xpi sumitur dona eis dne requiem sempiternam. Et lux perpetua luceat eis. Dona eis.

832
ORATIO POST COMMUNIONEM. Ds fidelium lumen animarum: [229v] adesto supplicationibus nostris: et da omnibus fidelibus in xpo quiescentium: quorum corpora in circuitu huius ecclesie requiescunt. refrigerii sedem: quietis beatitudinem luminis claritatem .,. per.

833
ORATIO POST COMMUNIONEM. Inueniant qs dne anime famulorum famularumque tuarum omnium in xpo quiescentium lucis eterne consortium. qui in hac luce positi tuum consecuti sunt sacramentum .,. per.

834
ORATIO POST COMMUNIONEM. Omips sempiterne ds. annue [qs] precibus nostris eaque poscimus. et dona omnibus quorum corpora hic et in cunctis cimiteriis sanctorum requiescunt refrigerii sedem. quietis beatitudinem luminis claritatem. et qui peccatorum [230r] suorum pondere pregrauantur. eos suplicatio commendet ecclesie .,. per.

826: L 1139 V 1668 Gr–.
827: L– V 1687 Gr–.
828: L– V 1682 Gr 929.
829: L– cf. V 673 cf. Gr 938.
830: ?
831: L– V– Gr 910.
832: L– V 1684 Gr 930.
833: L– V 1670 Gr 936.
834: L– V 1881 Gr–; *quorum corpora* bis *sanctorum requi(escunt)* von anderer Hand.

835

ORATIO POST COMMUNIONEM. Animabus qs dne famulorum tuorum omnium episcoporum sacerdotum. diaconorum. abbatum. canonicorum. monachorum. genitorum: seu parentum nostrorum: necnon et eorum qui se in nostris commendauerunt orationibus. et qui nobis suas largiti sunt helemosinas: siue omnium fidelium utriusque sexus defunctorum. oratio proficiat supplicantium: ut eos et a peccatis exuat(!): et tue redemptionis faciat(!) esse participes .,. per.

XCI. MISSA COMMUNIS

836

(ORATIO). Ignosce dne quod maculate uite conscientia trepidus: et criminum eorum confusione captiuus formido. qui pro me ueniam optinere non ualeo. pro aliis rogaturus assisto. profero ad te si digneris dne. captiuorum gemitus. tribulationes [230v] pleuium: pericula populorum. necessitates peregrinorum inopia debilium desperationes lanquentium defectus senum. suspiria iuuenum. uota uirginum. lamenta uiduarum. sed quoniam me eademque et populum peccati catena constringit. ideo commutes iugeo passiones. Non obsit dne populo tuo oratio subiugata peccatis. per me tibi offeretur uotum. per te mecum compleatur officium .,. per.

837

ORATIO SECRETA. Memores sumus eterne ds pater oips gloriosissime passionis filii tui. resurrectionis etiam eiusque ascensionis in celum. petimus ergo maiestatem tuam ds. ut ascendant preces humilitatis nostre. in conspectu clementie tue. et descendat super hunc panem et super hunc calicem plenitudo tue diuinitatis. sicut in quondam patrum hostiis uisibiliter descendebat .,. per.

838

ORATIO POST COMMUNIONEM. Oips sempiterne ds. qui es auctor et artifex omnis creature tue. respice propitius ad preces ecclesie tue. da nobis contra hostem nostrum crudelissimum. tue defensionis auxilium. qui circuit querens quem deuoret. non sinas piissime pater. in nobis illum sua uota complere. et imaginem tuam in nobis obscurare. iam enim illi renuntiauimus. et tibi dne promisimus iam per gratiam et potentiam tuam abstracti sumus de faucibus eius. non nos iterum permittas laniare morsibus inimici. quos sanguine filii tui redemisti .,. per.

fol. 231 siehe Kalendarium.

835: L– cf. V 1675 cf. Gr 939 danach beginnt eine sehr kleine Schrift.
836: L– V– Gr– F 2888. **837:** L– V– Gr– F 2886.
838: L– V– Gr– cf. F 2900.

839

(ORATIO PRO QUACUMQUE TRIBULATIONE ET PRO PECCATIS). [232r] Auxiliare dne querentibus misericordiam tuam. et da ueniam confitentibus seruis tuis. uel omnium ancillarum tuarum: et omnium fidelium christianorum. uel omnium qui nobis suas helemosinas condonauerunt. et eos qui nos in sanctis orationibus habent memoriam. uel eos qui nobis commendati sunt atque commissi. pro quorum peccatis. te deus supplices postulamus. et tibi dne munera sua pro peccatis suis offerunt. ut tu dne per intercessionem beate et gloriose semperque uirginis dei genitricis marie: et omnium sanctorum tuorum digneris misericordiam tuam super eos et super nos impendere. parce peccatis nostris. quia nostris meritis flagellamur. tua miseratione saluemur .,. per.

840

(ORATIO). Maiestatem tuam qs dne supplices exoramus: pro famulis et famulabus tuis: siue pro omnibus benefactoribus nostris: uel qui nobis propria crimina ante conspectum maiestatis tue confessi sunt. et qui se meis indignis precibus commendauerunt. et eos qui me in suis sanctis orationibus habent memo[232v]riam. misericordiam tuam super eos et super nos ubique pretende. concede propitius. ut hec sancta oblatio mortuis prosit ad ueniam. uiuis proficiat ad salutem. et fidelibus tuis pro quibus oblatio offertur indulgentie tue pietatis succurrat .,. per.

841

(ORATIO). Adtende dne propitius mee seruitutis obsequium et miserere fidelibus famulis et famulabus tuis: qui tibi pro peccatis suis munera sua offerunt. et omnium fidelium christianorum. et eos qui michi suas elemosinas condonauerunt. et omnium seruorum tuorum uel ancillarum tuarum. tam uiuis quam et defunctis. qui michi commendati sunt atque commissi. quorum nomina tu scis. pro quorum peccatis te ds supplices postulo. ut tu dne misericordiam tuam super eos digneris impendere. et super nos qui te supplices postulamus. ut omnibus sceleribus eorum amputatis. ita sint tue miserationis defensione protecti. ut in obseruatione mandatorum tuorum mereantur esse perfecti. quatenus et in hac uita uniuersis facinoribus careant. et in conspectum glorie tue quandoque sine offensione perueniant .,. per.

839: L– V– Gr– cf. F 2105. **840:** –F 2598.
841: –; erronee: *tus scis*; am Schluß: probatio penne *di dns d.*

INDICES

INDEX SANCTORUM*

* Wir setzen die Namen in den Genitiv und belassen die Schreibweise wie in der Handschrift.

INITIENVERZEICHNIS

A

B

C

D

E

F

G

H

I

L

M

N

O

P

Q

R

S

U

X

INHALT

TEXTUS PATRISTICI ET LITURGICI
quos edidit Institutum Liturgicum Ratisbonense

Bisher sind erschienen:

Fasc. 1

Niceta von Remesiana, Instructio ad Competentes. Frühchristliche Katechesen aus Dacien. Herausgegeben von KLAUS GAMBER.
VIII + 182 Seiten. 1964. Ganzleinen DM 24.—

Fasc. 2

Weitere Sermonen ad Competentes. Teil I.
Herausgegeben von KLAUS GAMBER.
136 Seiten. 1965. Ganzleinen DM 20.—

Fasc. 3

Ordo antiquus Gallicanus. Der gallikanische Meßritus des 6. Jahrhunderts. Herausgegeben von KLAUS GAMBER.
63 Seiten. 1965. Ganzleinen DM 10.—

Fasc. 4

Sacramentarium Gregorianum I. Das Stationsmeßbuch des Papstes Gregor. Herausgegeben von KLAUS GAMBER.
160 Seiten. 1966. Ganzleinen DM 22.—

Fasc. 5

Weitere Sermonen ad Competentes. Teil II.
Herausgegeben von KLAUS GAMBER.
120 Seiten. 1966. Ganzleinen DM 20.—

Fasc. 6

Sacramentarium Gregorianum II. Appendix, Sonntags- und Votivmessen. Herausgegeben von KLAUS GAMBER.
80 Seiten. 1967. Ganzleinen DM 16.—

Fasc. 7

Niceta von Remesiana, De lapsu Susannae. Herausgegeben von KLAUS GAMBER. Mit einer Wortkonkordanz zu den Schriften des Niceta von SIEGHILD REHLE.
139 Seiten. 1969. Ganzleinen DM 24.—